絵になる

東京の建築

山田雅夫
都市設計家・建築家

建物の選定について

「絵になる」建物、そこには共通性があります。3つほど挙げてみましょう。その建物がほかにない強い個性を発散していること。同時に親しみをもって印象に残る建物であること。さらには、ランドマーク的な存在で造形的にもシンボリックであること、でしょう。

年代的に、近世建築・近代建築・現代建築から選ぶことになります。江戸時代から現代まで、東京の400年以上の歴史のなかで、近世とは実質的に江戸時代を指します。ただ、江戸城、浜離宮など、明治時代へと継承された大規模施設も少なくありませんが、建物に焦点をあてた場合、かなり限定されます。実際、本書で選んだ近世建築は2作品です。したがって、明治維新以降の建築が本書の主たる対象となりました。

エリアとしては、実質的に幕府がおかれた江戸も含む、首都、東京に絞りました。行政的には、現在の東京都下の建物から選んでいます。

対象範囲を時間的・空間的に絞ることで、ぜひ推挙したい建物の独自性やシンボル性、その時代を象徴するような存在であるかどうか、などの判断も鮮明になりました。

建物の選定は編集のSさんと協議しながら絞り込みました。10の建物を選ぶまでは、お互いに異論がなく、すらすらとリストアップできました。問題はそこから先ですが、私はどうしても建築行為の専門性を前面に出す選択をしがちです。一方で、長年、流行語大賞の選考委員も務めて来られた編集者のSさんは、建物が企画され建設される過程で、そこに展開される人間群像が透けて見えるものを選びたいと提案されました。建物にまつわる物語も重要ですね。施主と建築家との出会いや、建物を建設する時期と社会情勢とのマッチングなど、そこに表出する不思議な運命のようなものも意識しながら、選定を進めました。

建物を選ぶ際に、建築家の側からみてその建築家の代表作は何か、ということも考えました。たとえば、ジョサイア・コンドルの作品を一つは取り上げようと考えたのです。彼は日本の明治期の建築分野への貢献は論を待たないのですが、都下で残っている建物が案外少ないのです。鹿鳴館といった、歴史の教科書に登場する有名な建物もジョサイア・コンドルの設計です。もし、この建物が残っていれば、やはりベスト10に入れたに違いありませんが、現存しません。結果的に、彼の設計になる貴重な作品については、本書では、旧古河邸を選んでいます。

明治以降、現在まですでに150年あまりの時間が経過しています。その中で、東京の場合、特に顕著なのが、関東大震災による家屋の壊滅的な倒壊や火災の影響です。その後の復旧や復興にかける当時の指導者たちの意識の高さに思いを馳せずにいられません。銀座の泰明小学校を選ぶ際には、そんな復興建築から選択したいという思いがあります。

どうか、東京にこんなに多彩で美しい建築があることを知ってほしいです。それは、そのまま東京が、さまざまな思想や文化の発現の舞台であり、価値観を重ねもった大都市であることの証にもなっています。

なお、筆者は文章と絵の両方を制作しています。絵は線描が中心ですが、意図に対応して、線描だけでなく、水彩や鉛筆画など、使い分けて表現しています。そのあたりも楽しみながら、読み進めてほしいと願っています。

絵になる 東京の建築 目次

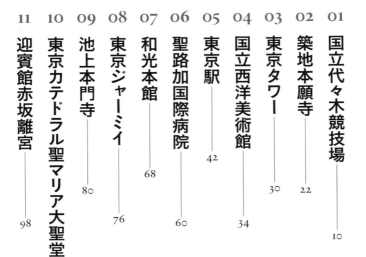

絵になる 東京の建築

戦後モダニズム建築の頂点

我が国の建築作品の中でも、戦後のモダニズム建築の頂点に立つと評価される国立代々木競技場です。1964年（昭和39）に開催された東京オリンピックの屋内体育館として建設されました。本書の冒頭で取り上げるのは、どの建築作品にも勝る高い評価と賛辞を、この建物に送りたいためです。

第一体育館と第二体育館の2棟からなり、吊り構造（サスペンション構造）により、シンボリックな外観と劇的な内部空間を実現しています。また、観客の動線計画が、吊り構造によりもたらされた革新的

国立代々木競技場 | 01

所在地：東京都渋谷区神南2-1-1
最寄駅：JR東日本「原宿」
設計者：丹下健三
竣工：1964年9月

絵A

な平面とよくマッチしています。このスポーツ施設へのメインアプローチは、渋谷方面からと原宿方面の2つがあります。絵Aは渋谷方面からのアプローチの外観です。

丹下健三と坪井善勝

用途的にはスポーツ施設ですが、建築の意匠、機能、構造という3つの要素を見事に統合した作品です。一般的には、これらの3要素は相いれない面が強く、絶妙な離れ業がなしえた作品といえましょう。当時の第一級の専門家の幅広い参加とそれを丹下健三はまとめあげることができたのです。

この作品を通じて、設計者の丹

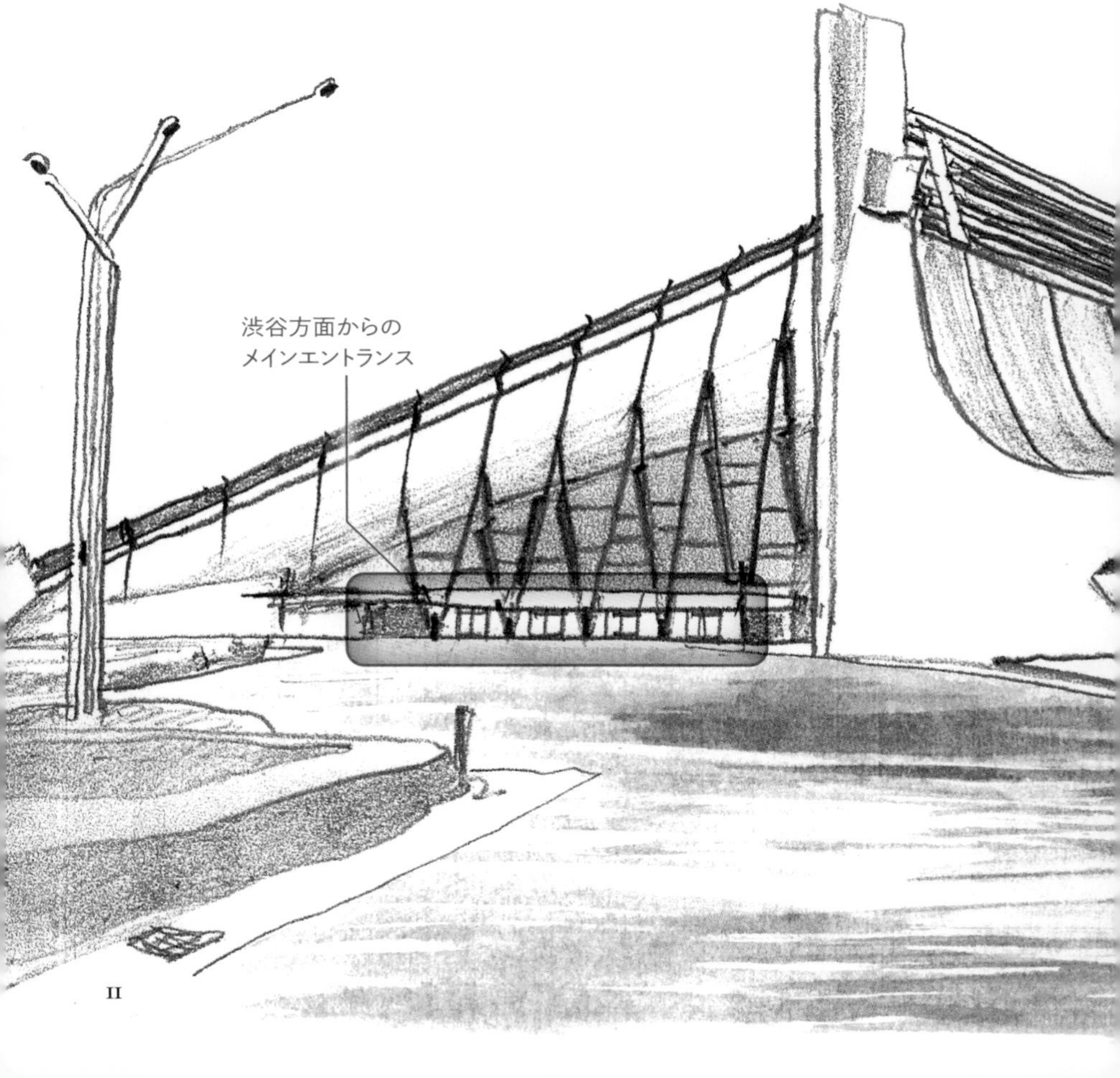

下健三を世界にアピールする契機になった理由も理解できます。

目白の東京カテドラル(86頁)も同じ建築家の設計です。両者に共通している点は、とりわけきわめてユニークな大規模空間を実現させるのに必須ともいえる、斬新な構造設計者の存在です。その構造設計の専門家は坪井善勝で、見方によっては丹下と坪井の共同作品といってもよいかもしれません(オフィシャルには、設計は丹下健三都市・建築設計研究所、です)。

独特の吊り屋根構造が生まれたヒント

第一体育館をもとに、どのような構造形式が導入され、実現した

絵B

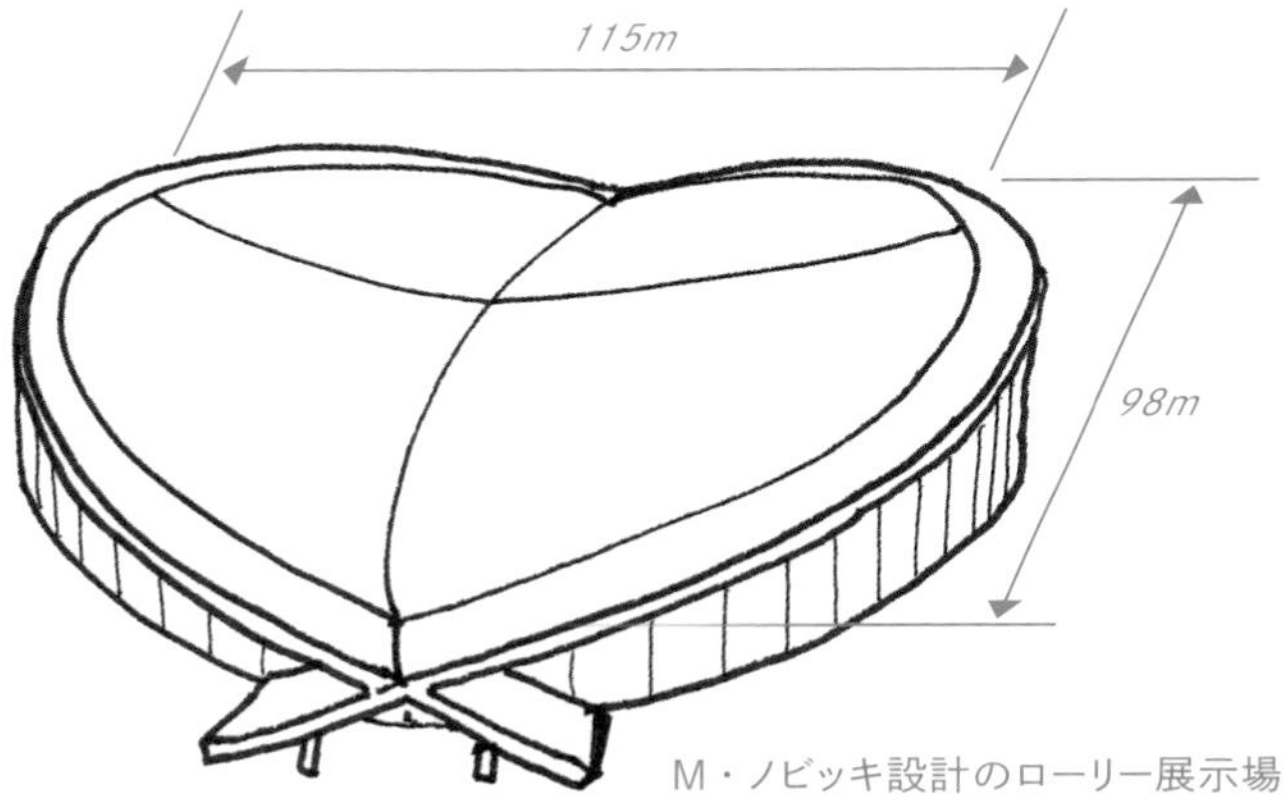

M・ノビッキ設計のローリー展示場が、本格的な吊り構造(サスペンション構造)の応用の最初といわれています。1953年竣工です。

第一体育館の、南北方向の断面です。

のかをわかりやすく説明したいと思います。大空間を可能にする構造形式として、吊り屋根構造が注目されたのは橋梁などで長大橋に採用された吊り構造よりもずっと遅れて、1950年代です。アメリカ、ノースカロライナ州のローリーという都市で非常に大きな展示場が1953年に実現します(絵B)。この吊り屋根構造の設計者はM・ノビッキです。内部の展示空間内には柱は一本もありません。

その後、吊り屋根構造の可能性について、世界中でさまざまな提案がちょうど発表される時期にぶつかったのです。ここからは、私の推論も加わりますが、設計のコンセプトにかかわるヒントとしてぜひ理解してほしいのです。一連の絵にしました。絵Cは、それぞれの着想と展開を、上から下へ矢印とともに視覚化しました。

おそらく、大観衆を収容するプランとして、観客席が取り囲む円形の競技施設が、設計のスタートになったに違いありませんⓐ。柱を途中には1つも設けないで大空間にする構造形式としては、いくつか選択肢がありますが、合理的でかつ機能的な考えとしてシェル構造があります。ちょうど、お茶碗を伏せたような形です。とても合理的(経済的でもあります)なのですが、1960年にイタリアで開催されたローマオリンピックで、屋内競技場がまさにそのシェル構

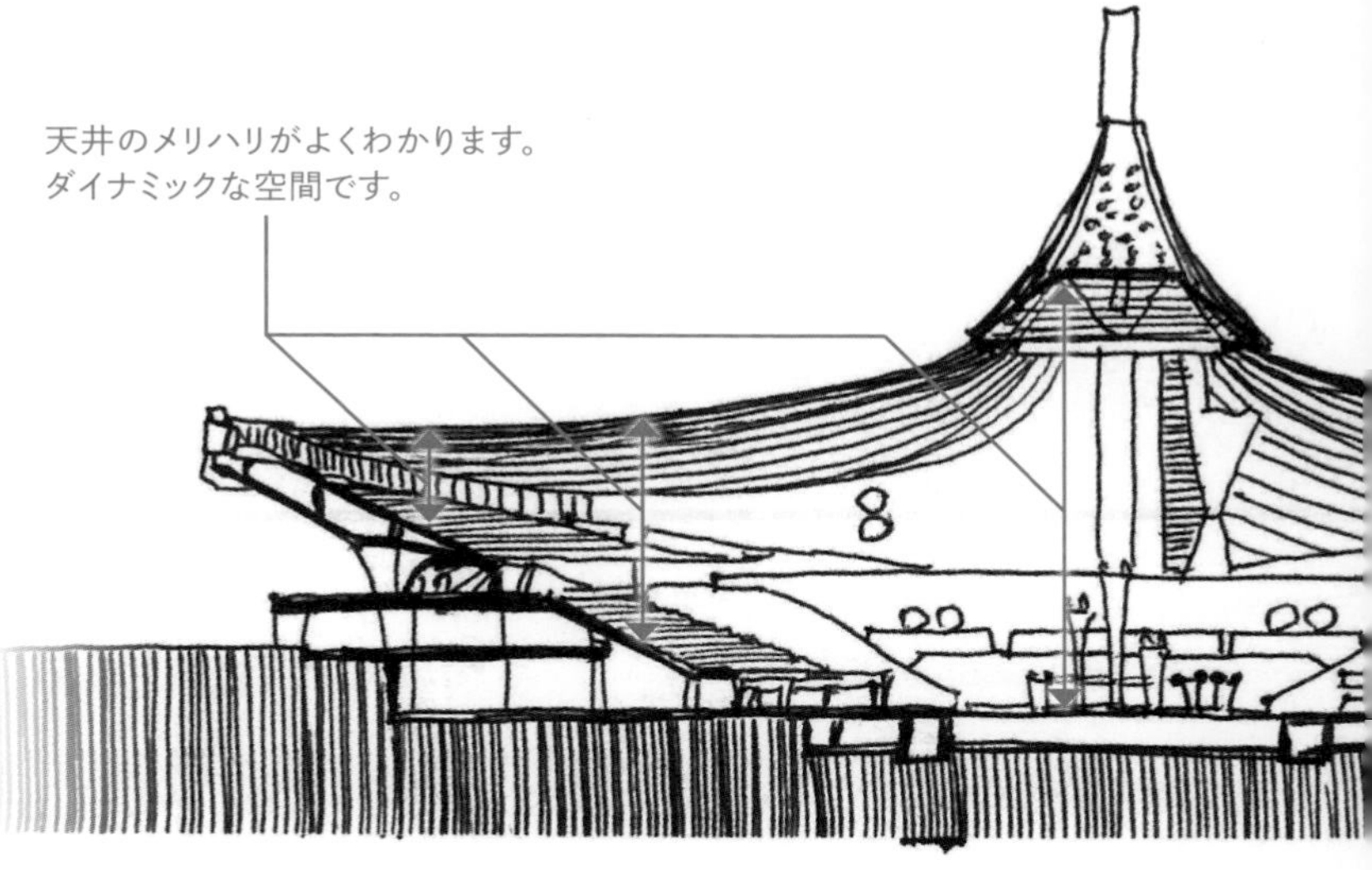
天井のメリハリがよくわかります。
ダイナミックな空間です。

造によって世界に登場しました。設計者は、当時、非常に美しい大規模構造物を設計することで知られた、イタリア人のピエール・ルイージ・ネルビイ（1891－1979）です。

丹下健三はその屋内競技場のことを当然聞いていたでしょうし、二番煎じになるそのカタチは採用したくなかったはずですⓑ。上からみて円の平面形に対して、絵ではちょうど真ん中の水平線で上下に分けてみますⓒ。その状態のまま、切断面を保持しつつ、左右に離す方向に移動させますⓓ。ここで、ⓔに示すように、観客席が囲むスペースを、新しく丸く確保してみましょう。導入空間と観客席の空間とが立体的にうまく分けられそうです。この状態で、ⓕに示すように、柱を2本立ててケーブルを張れば、興味深い吊り屋根構造が生まれます。もう少し、具体的に構造計画として表現すると、ⓖのようになります。これは実現した第一体育館の外観を思い起こさせます。

世界初のセミ・リジット（半剛性）構造

実際には、圧縮と引っ張りの部材相互をうまく結びつけた吊り屋根構造です。絵Dをご覧ください。上の絵は、メインケーブルの架け方や、屋根加重を受け止める主要な柱やアンカーブロック、ストラ

第一体育館の、東西方向の断面です。

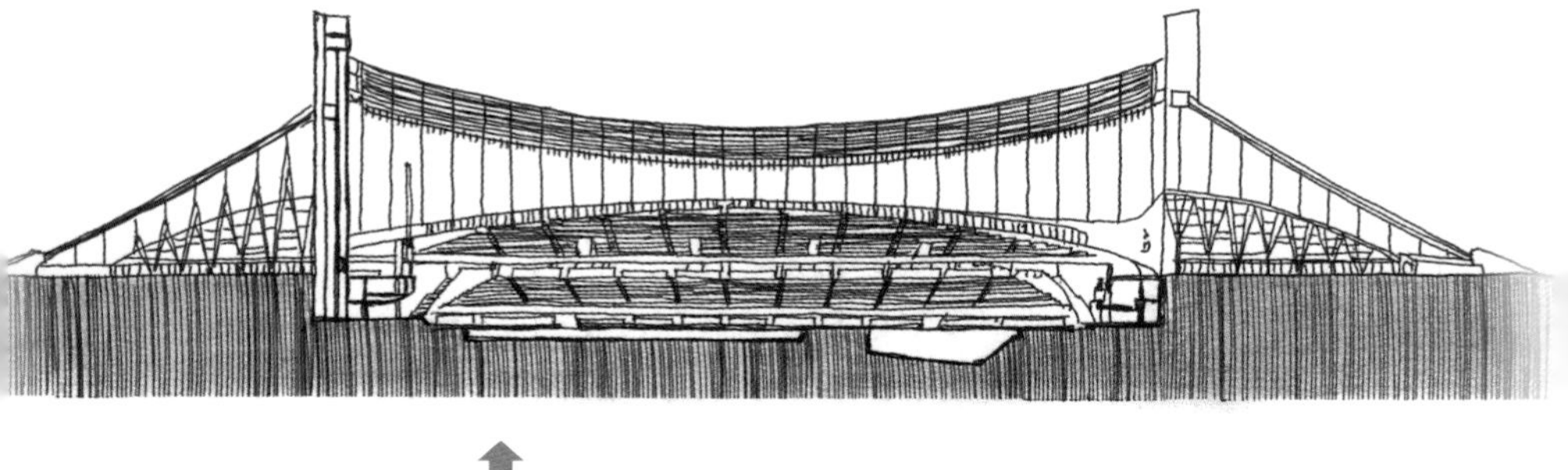

最終形です。

絵C　求める空間と構造形式が見いだされる過程

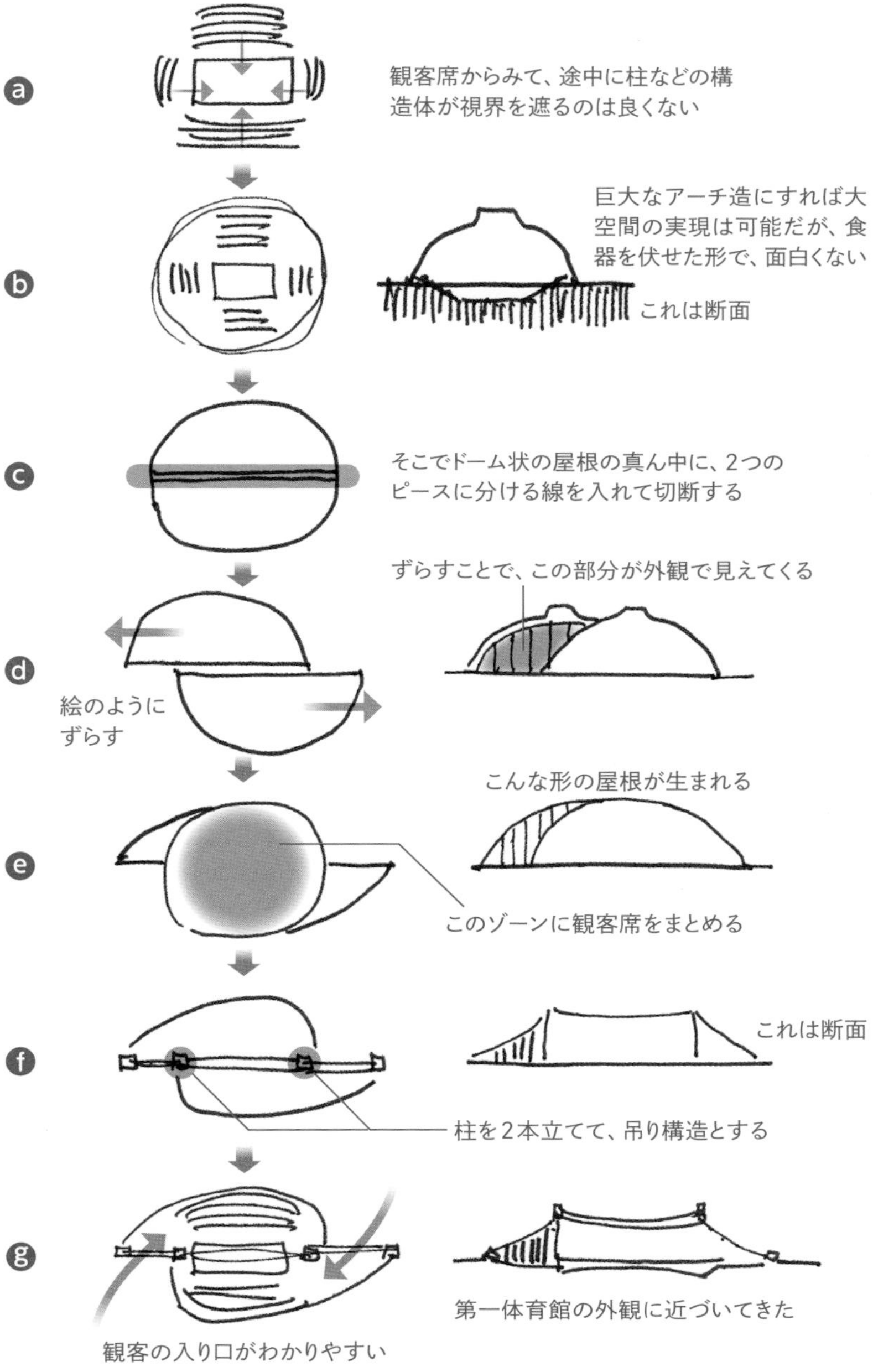
a
観客席からみて、途中に柱などの構
造体が視界を遮るのは良くない
b
巨大なアーチ造にすれば大
空間の実現は可能だが、食
器を伏せた形で、面白くない
これは断面
c
そこでドーム状の屋根の真ん中に、2つの
ピースに分ける線を入れて切断する
d
ずらすことで、この部分が外観で見えてくる
絵のように
ずらす
e
こんな形の屋根が生まれる
このゾーンに観客席をまとめる
f
これは断面
柱を2本立てて、吊り構造とする
g
第一体育館の外観に近づいてきた
観客の入り口がわかりやすい

ットなどの構成を概略的に示します。この建築では、メインケーブルは2本あり、絵Eのように、東西の2か所のアンカーブロックのところから見ると、太い構造部材がよくわかります。絵Dの下の絵は、広大な屋根面を縦横に結ぶ吊り材で架構する模式図です。

吊り材には、当初案ではサブケーブルを使用する予定だったのですが、屋根面の立体形状が意図したような緊張感を得られませんでした。そのため、吊り材には、設計

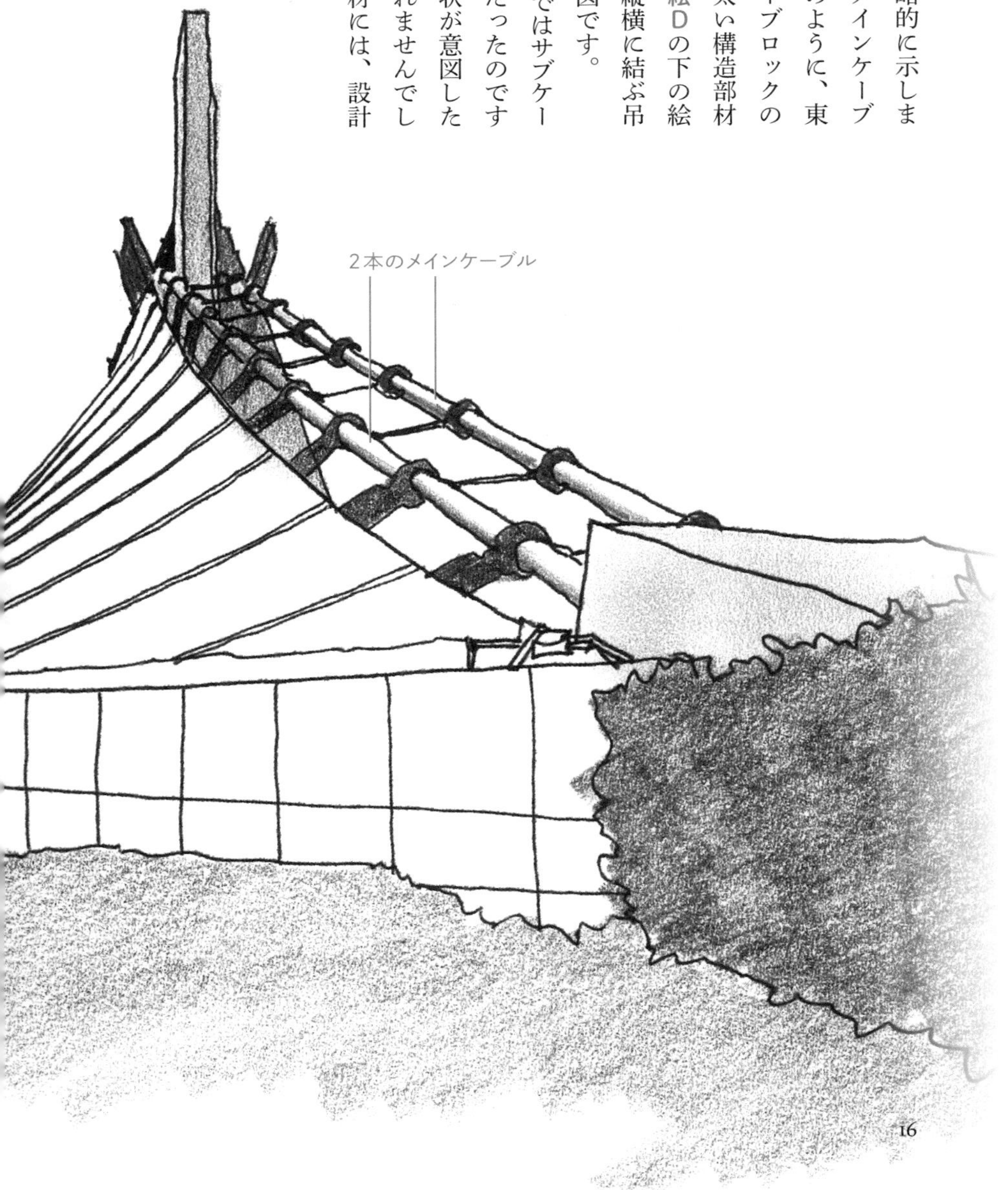

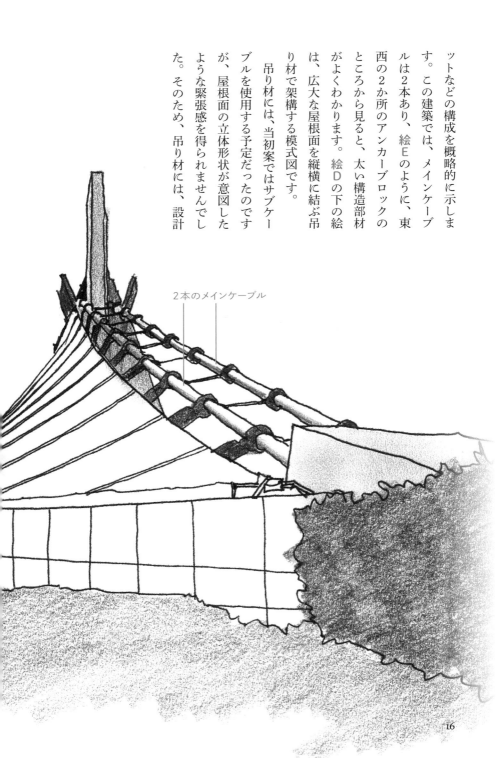

絵D

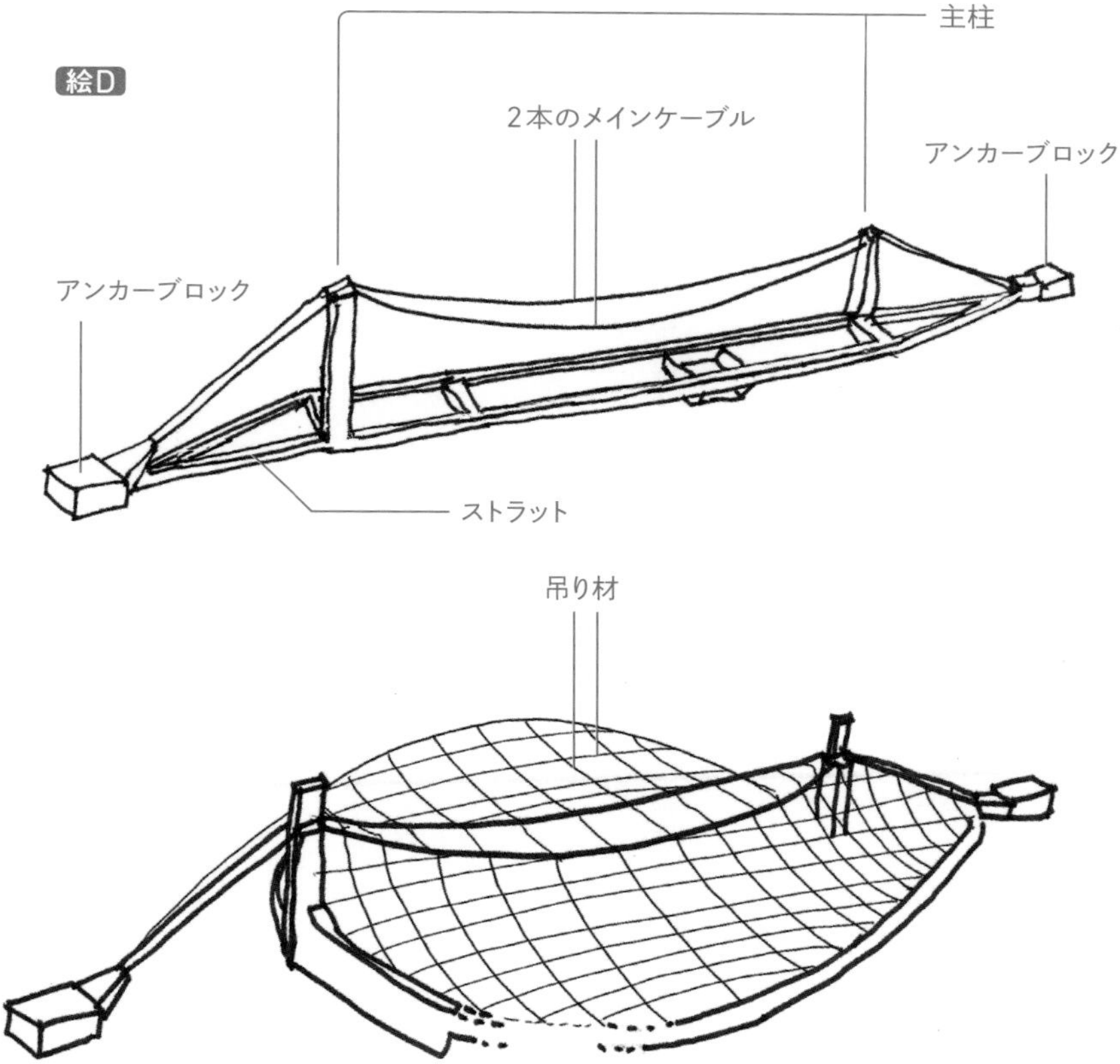

絵E

絵F

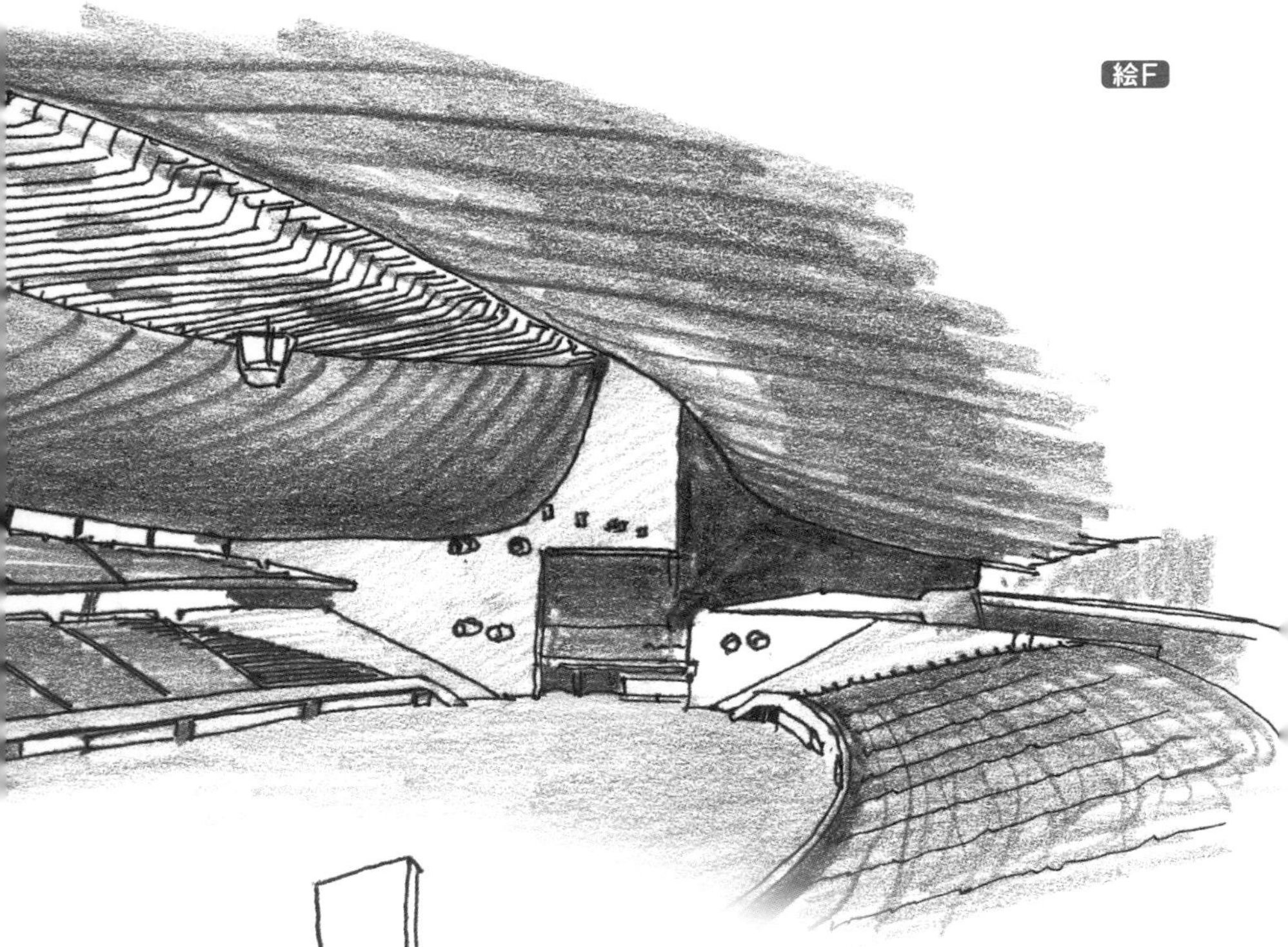

主旨を反映した形状に成形した鉄骨を用いて解決したのです。セミ・リジット（半剛性）構造と呼ばれますが、世界で初めての構造でした。絵Fは、室内空間を示しています。

なお、半剛性構造は、1972年竣工の大石寺正本堂の、翼を広げたようなダイナミックな屋根構造にも適用されました。

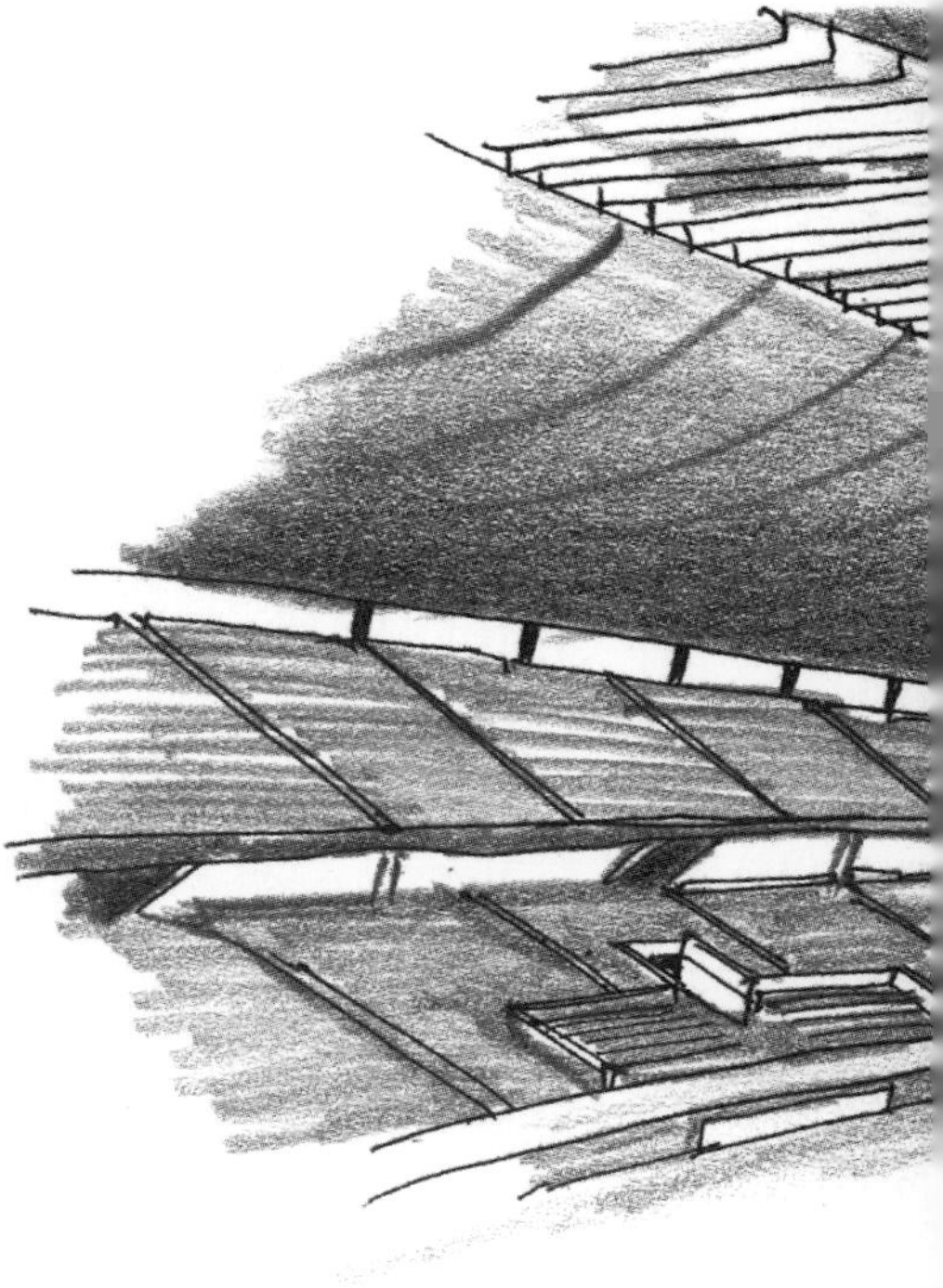

東から見た外観である絵Gをご覧ください。この建築は、見る方向が違うと様々な表情を見せてくれます。とくに屋根面のダイナミックな造形美を示してくれる方向です。また、近代的な材料を用いた大規模建築ですが、どこか日本

絵G

鉄筋コンクリート造のスタンドの重量は、屋根面からの引っ張り力とバランスがとれています

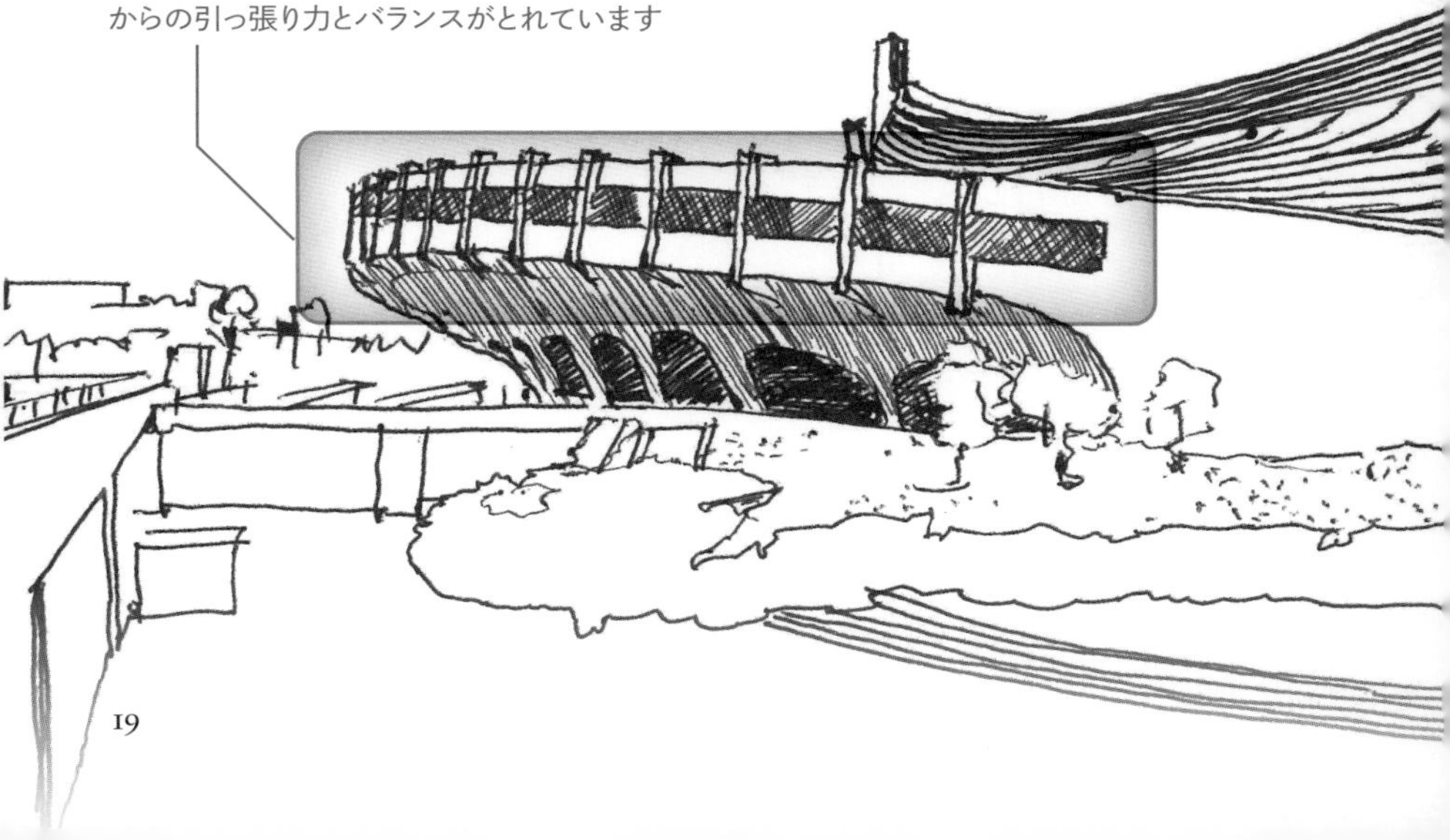

絵H

ダイナミックで有機的な
観客誘導は見事です

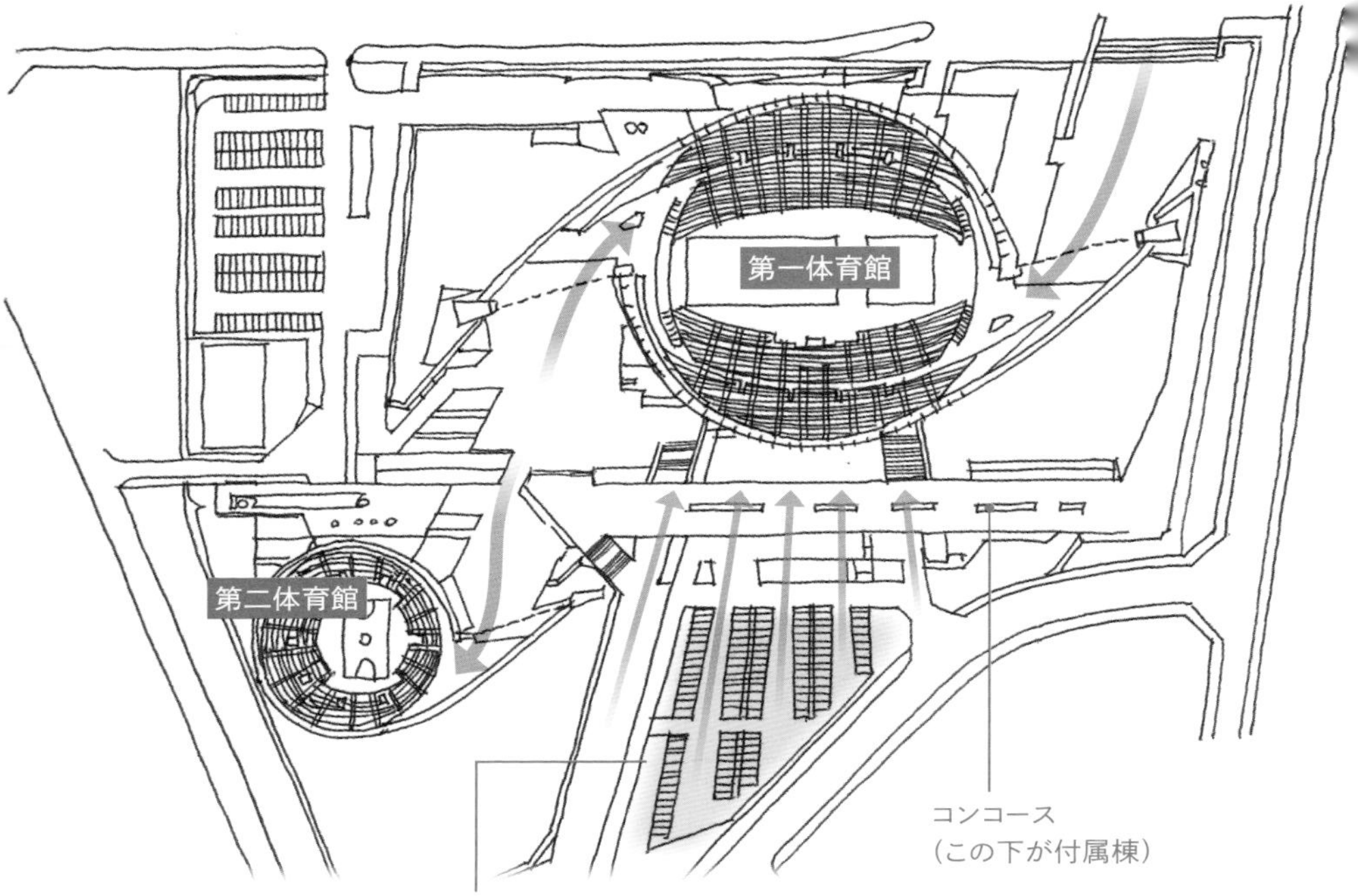

コンコース
（この下が付属棟）

駐車場ゾーンのレイアウトにも全体を貫くデザインが行き渡っています。ビジュアル的に美しいです。ただし、駐車場内の車路の幅が変化するレイアウトは実用的ではありません。合理的な土地利用ではないからです

＊あえて、1964年当時の施設配置図を載せましょう

絵I

の伝統的な寺院建築の屋根を彷彿とさせます。

第一体育館と第二体育館の関係

敷地全体のデザインについても触れておきます。絵Hがそれです。観客誘導の大きな流れが、無理なく作られるように設計されています。この絵では、現在ではなく1964年当時のレイアウトプランを載せています。駐車場のレイアウトプランにさえ、多数の人の動きの求心性を高める工夫がされています。

配置図で中央上の建物が第一体育館、観客席数は1万5000席。左下の建物が第二体育館で4000席。こちらは円すい状の天井が特徴です。ほかよりも高く設定されたコンコースを介在させ、吊り屋根構造として第一体育館と第二体育館は対をなすようによく考えられています。絵Iが第二体育館のエントランス側の外観です。なお、2021年に本建築は重要文化財に指定されました。

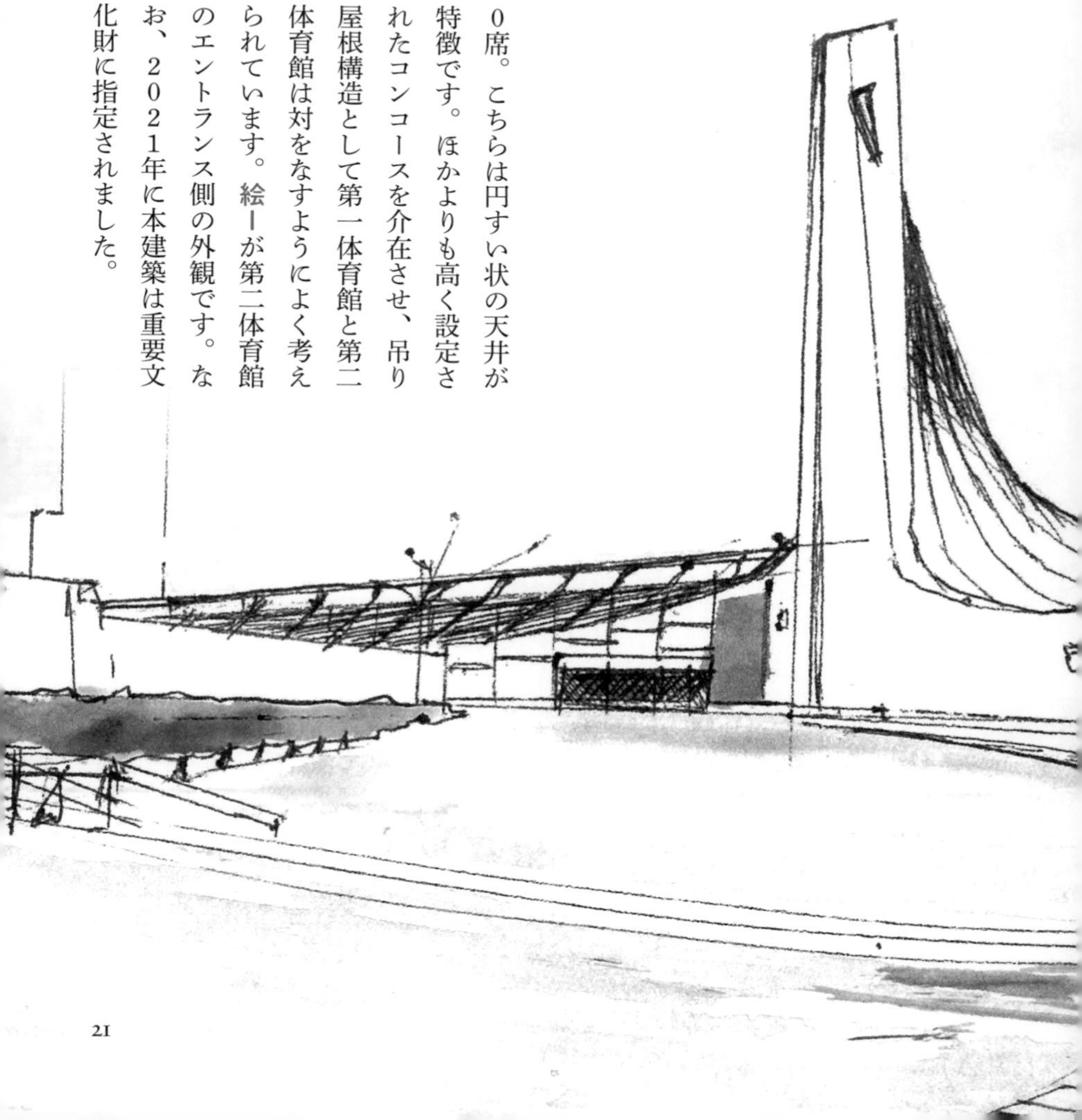

築地本願寺 ｜ 02

所在地：東京都中央区築地3-15-1
最寄駅：東京メトロ「築地」
設計者：伊東忠太
竣工：1934年

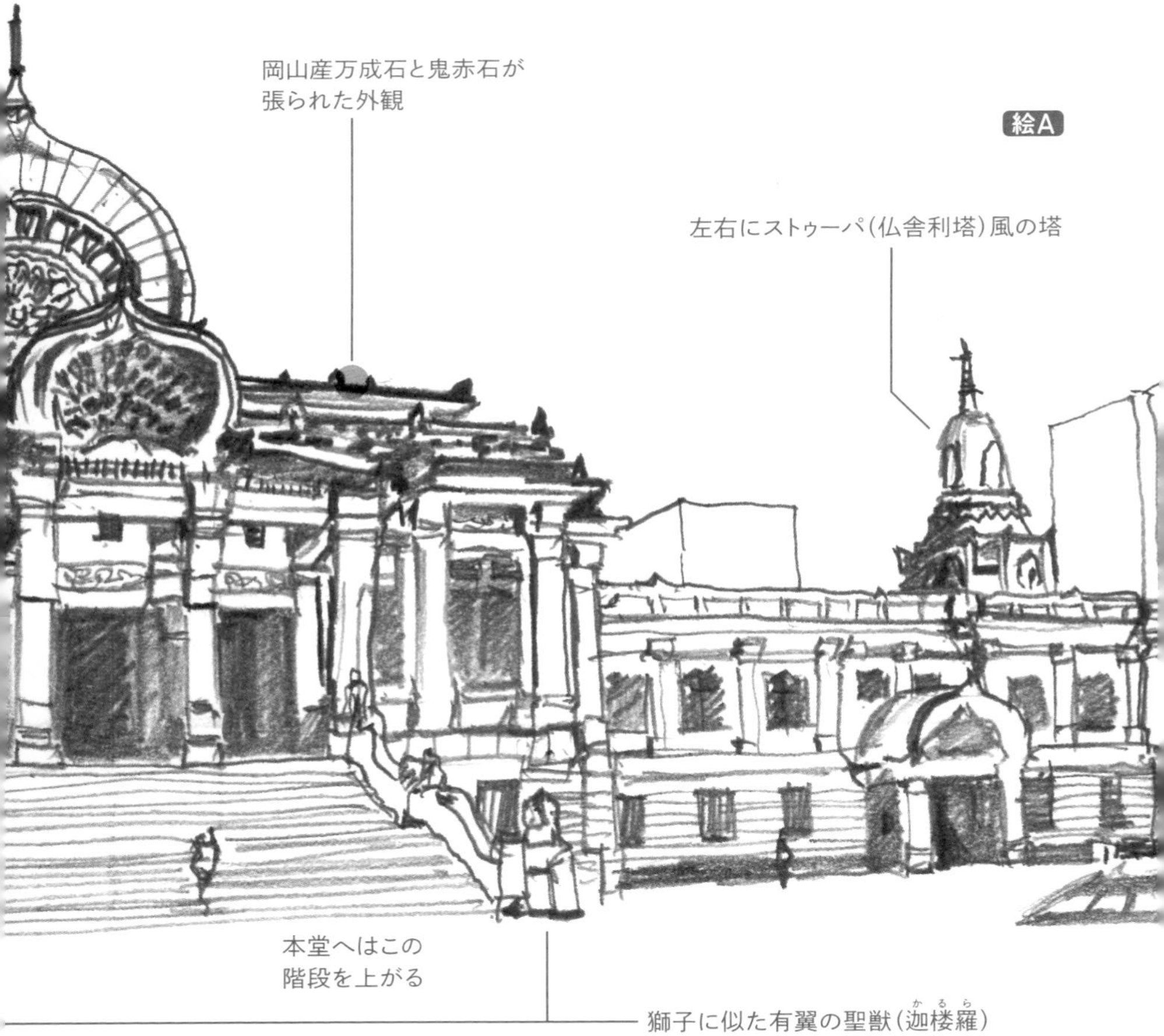
絵A
岡山産万成石と鬼赤石が
張られた外観
左右にストゥーパ(仏舎利塔)風の塔
本堂へはこの
階段を上がる
獅子に似た有翼の聖獣(迦楼羅《かるら》)

異色の建築

　ここで紹介する築地本願寺の本堂は、外観からその用途がきわめて推定しにくい点で、ほかの追随を許さない建築です。東京を代表する繁華街である銀座から歩いても行けるほど近い都心部にありながら、不思議な場所性を獲得しています。また、明治から大正にかけて建築家が競った建築様式のどれにも当てはまらないのです。

　築地本願寺本堂は、浄土真宗本願寺派の総本山、西本願寺の東京別院です。１９２３年（大正12）の関東大震災で崩壊した本堂の再建にあたり、設計者に選ばれたのは

有翼の成獣が、正面の階段の両側に座っています

伊東忠太です。１９３４年（昭和９）に完成しました。

伊東忠太は、東京帝国大学の教授を務め、建築家であると同時に建築史家でもありました。建物自体は地震を教訓に鉄骨鉄筋コンクリート構造です。その外観はといえば石造風で、古代インド・アジア仏教様式。仏教の源流であるインドまで調査旅行を実施するという、気宇《きう》な建築家だったから成しえたことです。

伊東忠太と宗主・大谷光瑞

当時の宗主であった大谷光瑞《こうずい》は、イギリス留学経験もあり、海外文化への理解や探求が非常に深かっ

絵B

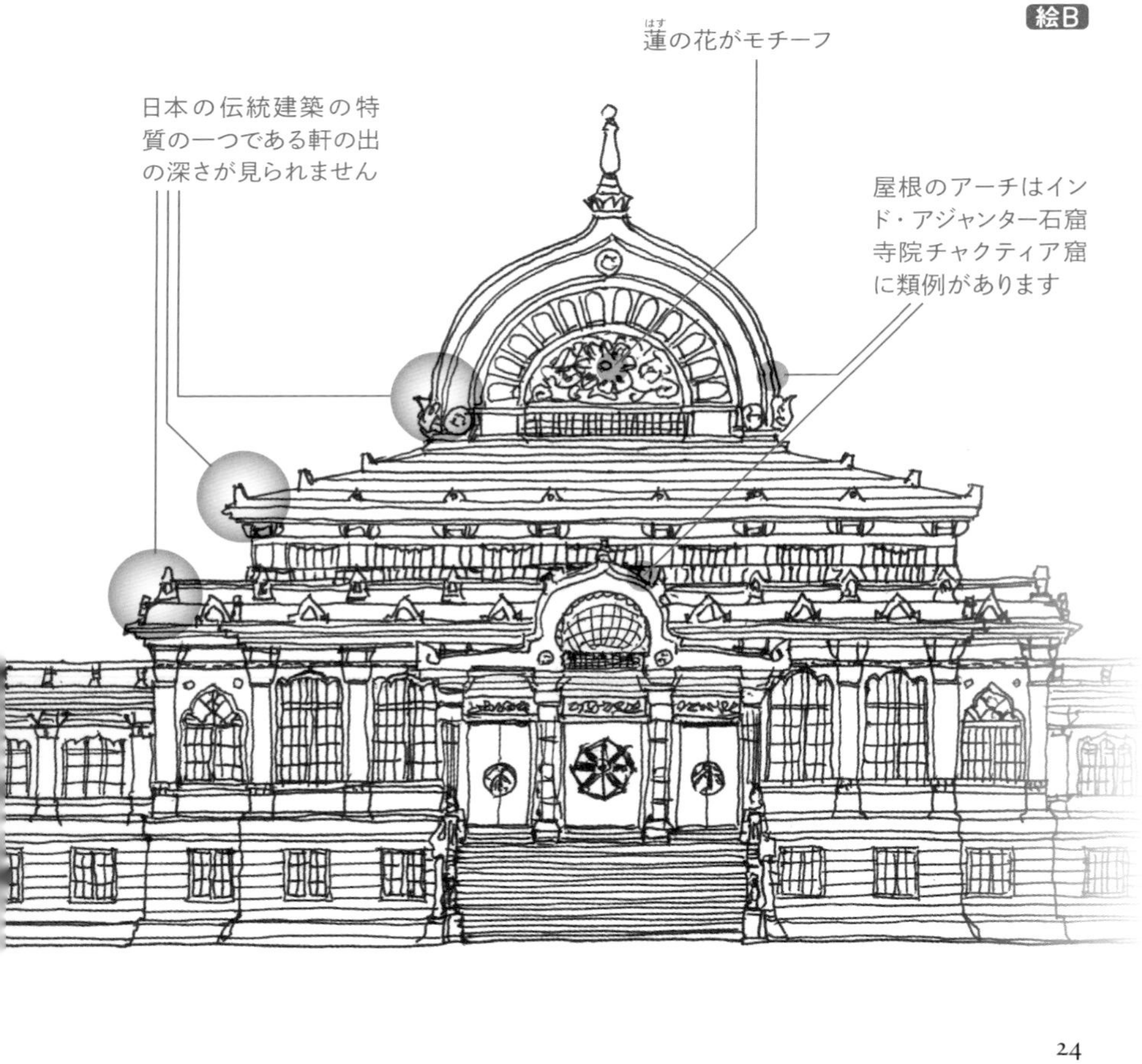
蓮《はす》の花がモチーフ
日本の伝統建築の特質の一つである軒の出の深さが見られません
屋根のアーチはインド・アジャンター石窟寺院チャクティア窟に類例があります

絵C

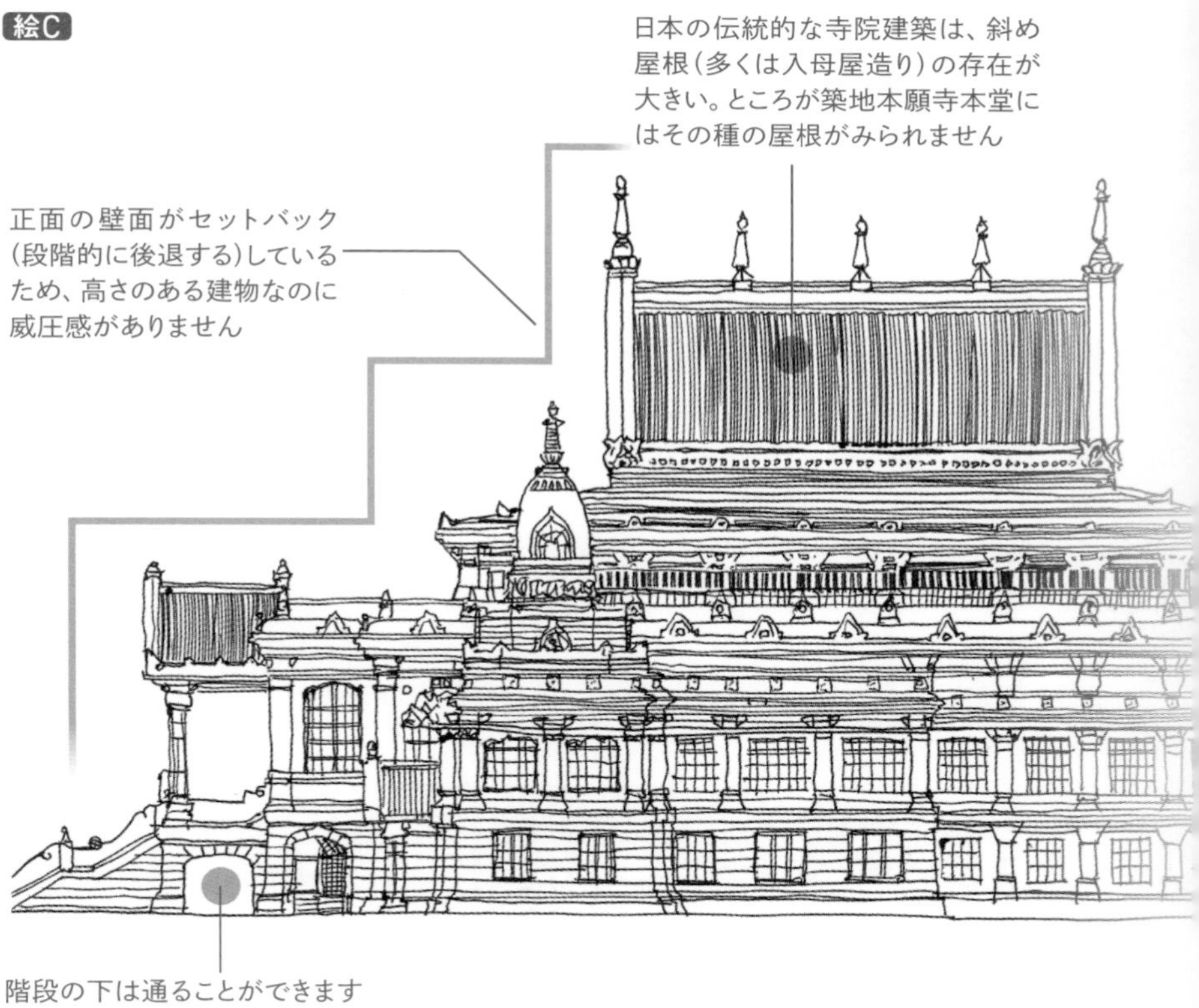
日本の伝統的な寺院建築は、斜め屋根（多くは入母屋造り）の存在が大きい。ところが築地本願寺本堂にはその種の屋根がみられません
正面の壁面がセットバック（段階的に後退する）しているため、高さのある建物なのに威圧感がありません
階段の下は通ることができます

たのです。宗主は大谷探検隊を組織し、海外に派遣した先で、調査旅行中の伊東忠太と出会っていたことが、その後、築地本願寺の再建を伊東忠太に依頼する展開につながります。

外観が全体としてはインド風なのに対して、中へ入ると、驚くことに日本の桃山様式なのです。天

井は格式の高い格《ごう》天井ですし、和の様式で統一されていますが、当時の社会生活感からすれば畳に座るのが普通だったはずですが、宗主の意向で椅子席になっています。仏教寺院としては、これも画期的です。そのずっと後になりますが（1970年）、パイプオルガンも寄贈され本堂の背後に設置され、コンサートも開かれています。

築地本願寺というたぐいまれな建築は、宗主・大谷光瑞と建築家・伊東忠太の合作といってよいかもしれません。

なお、2点ほど、コメントしましょう。

1点めは、伊東忠太は、現代建築の尺度基準でずいぶん、損をし

絵D

本堂外陣《げじん》は、真宗寺院の通常の様式（畳敷きに正座）とは異なり、椅子席になっています

ています。

現代の建築の評価基準では空間相互の関係性を非常に重視します。その観点からみると、築地本願寺は、外部と内部との空間の相互の関係よりも、外観のシルエットや記念碑的な立体形状への傾倒が目立ちます。明治や大正の時代の建築家には多かれ少なかれ、そうしたモニュメンタル指向が強かったと考えられますが、伊東忠太はとくにこだわりがあったのでしょう。そもそも左右対称性の配置は記念碑的になります。現代の建築家にとって、物足りない点があるとしたらそこです。ですが、明治期の、西洋文明や西洋建築に追いつくことを至上命令としてうけとめた建築家全盛の時代に、日本をはじめ東洋の建築へ光を当てたのが伊東忠太なのです。むしろ、その慧眼にもっと敬意を払うべきでしょう。

2つめは、築地本願寺はインド様式の外観を漂わせますが、世界の多様な様式が混在している面も否定できません。

正面から建物全体を見渡したとき、両ウイングの2層構成の部分は、1階がルスティカ風、2階はリズミカルな柱列でうまく処理されています。赤坂離宮の南面の外観にも通じるところがあり、これは西洋の組積造《そせきぞう》の長い歴史が育んだ建築様式でもあります。また、正面階段やその上の柱やアーチ部分をみていると、これは専門的な話になりますが、イタリアルネッサンス期の建築家、パラディオの発案した外観様式を思い浮かべてしまいます。細部意匠ももちろんですが、多くの様式の混在が放つ魅力をこの建物から読み取ってほしいのです。

パラディオのモチーフ

この建築の外観に見出せる様式について補足しておきましょう。築地本願寺の外観が基本的に古代インド仏教様式によることは疑う余地はありません。ですが、たとえば、正面中央のエントランス部分について、すでに触れていますが建築家、アンドレア・パラディオ

（１５０８－１５８０）のモチーフを想起してしまうのです。

絵Ｅは、イタリアのヴィチェンツァに建つ邸宅で、ヴィッラ・ラ・ロトンダ（１５６６年）です。あたかも神殿のような正面ですが、階段を上がった先の列柱による厳格な左右対称性に注目ください。低い１階部分とメインとなる２階部分の比率にも着目ください。いずれも、築地本願寺の正面外観との強い類似性を感じます。三角形の造形についても、大小の立体造形の関係が共通します。正確にいえば中央のドーム状の立体は三角形そのものではありませんが、類似の形態とみてよいでしょう。築地本願寺では、かまぼこ状のヴォール

絵E

ヴィッラ・ラ・ロトンダという別荘は、パラディオが、古代建築で用いられた手法を駆使した作品です。

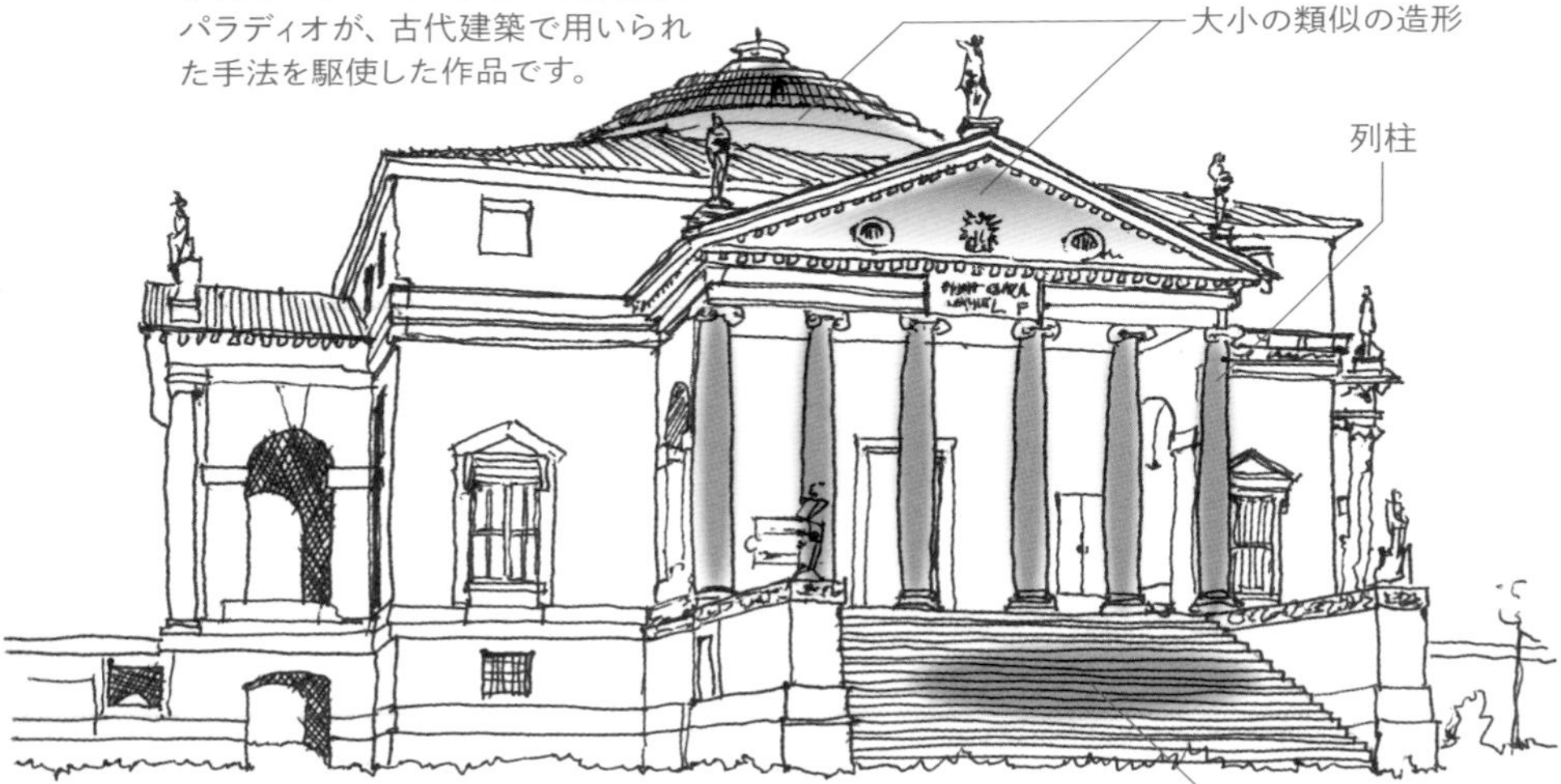

パラディオがヴィッラ・ラ・ロトンダで実践した手法と同じです。

ト屋根が大小、２段に構成されています。
　同じパラディオの意匠上の特徴の一つ「パラディアンモチーフ」についても、築地本願寺の正面で類似性を指摘できます。絵Ｆにコンセプトを示しましたが、４本の柱と中央の２本の柱を結ぶアーチの組み合わせがそのモチーフです。ヴィチェンツァのバシリカという建物の外観に全面的に使われていて、建築の世界ではよく知られています。アーチと柱の関係は、築地本願寺の正面にも通じます。ほかにもありますが、よく観察してみてください。

絵F

パラディアンモチーフ（説明図）

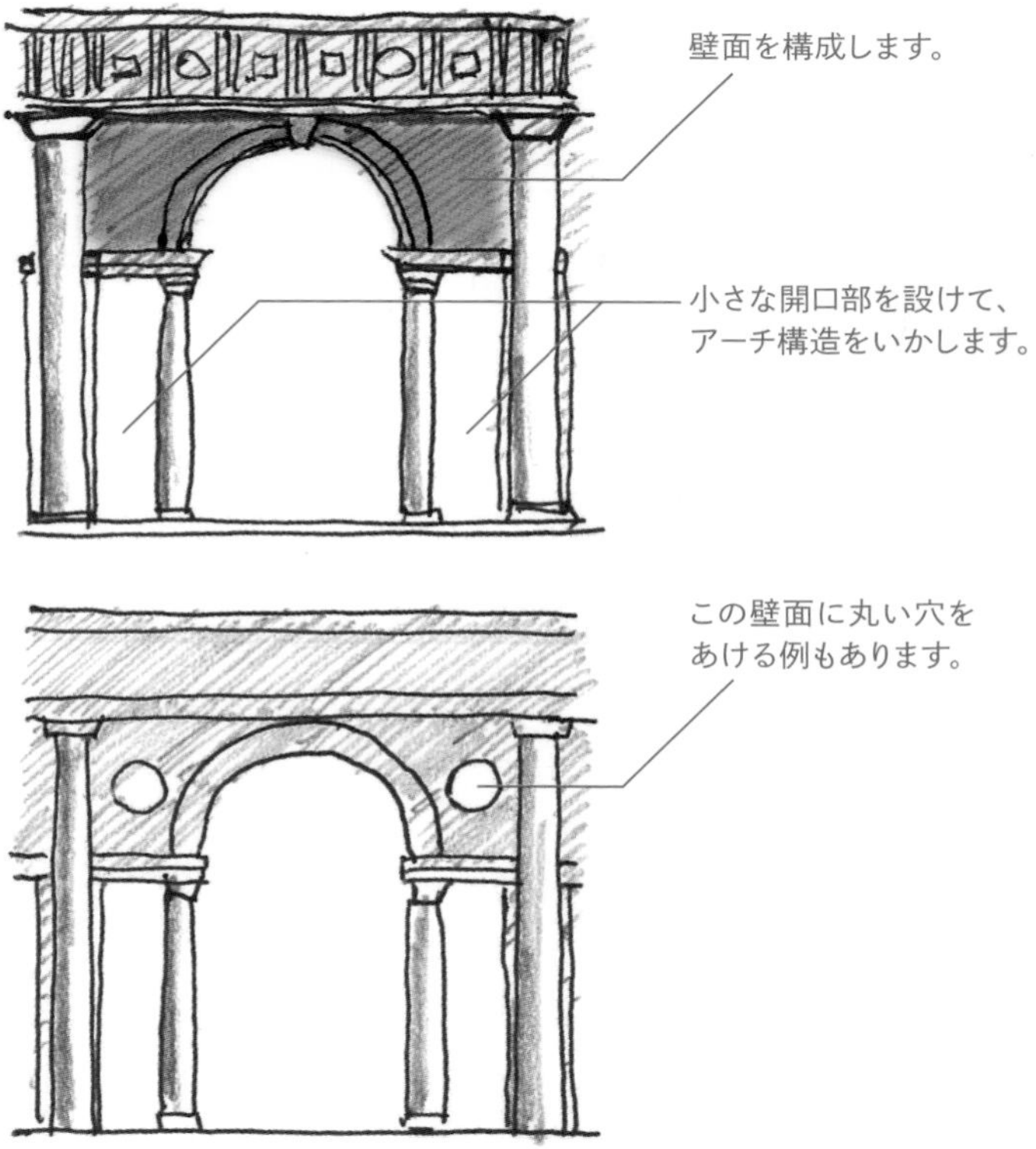
壁面を構成します。
小さな開口部を設けて、
アーチ構造をいかします。
この壁面に丸い穴を
あける例もあります。

東京タワー | 03

所在地：東京都港区芝公園4-2-8
最寄駅：東京メトロ「神谷町」
設計者：内藤多仲
竣工：1958年12月23日

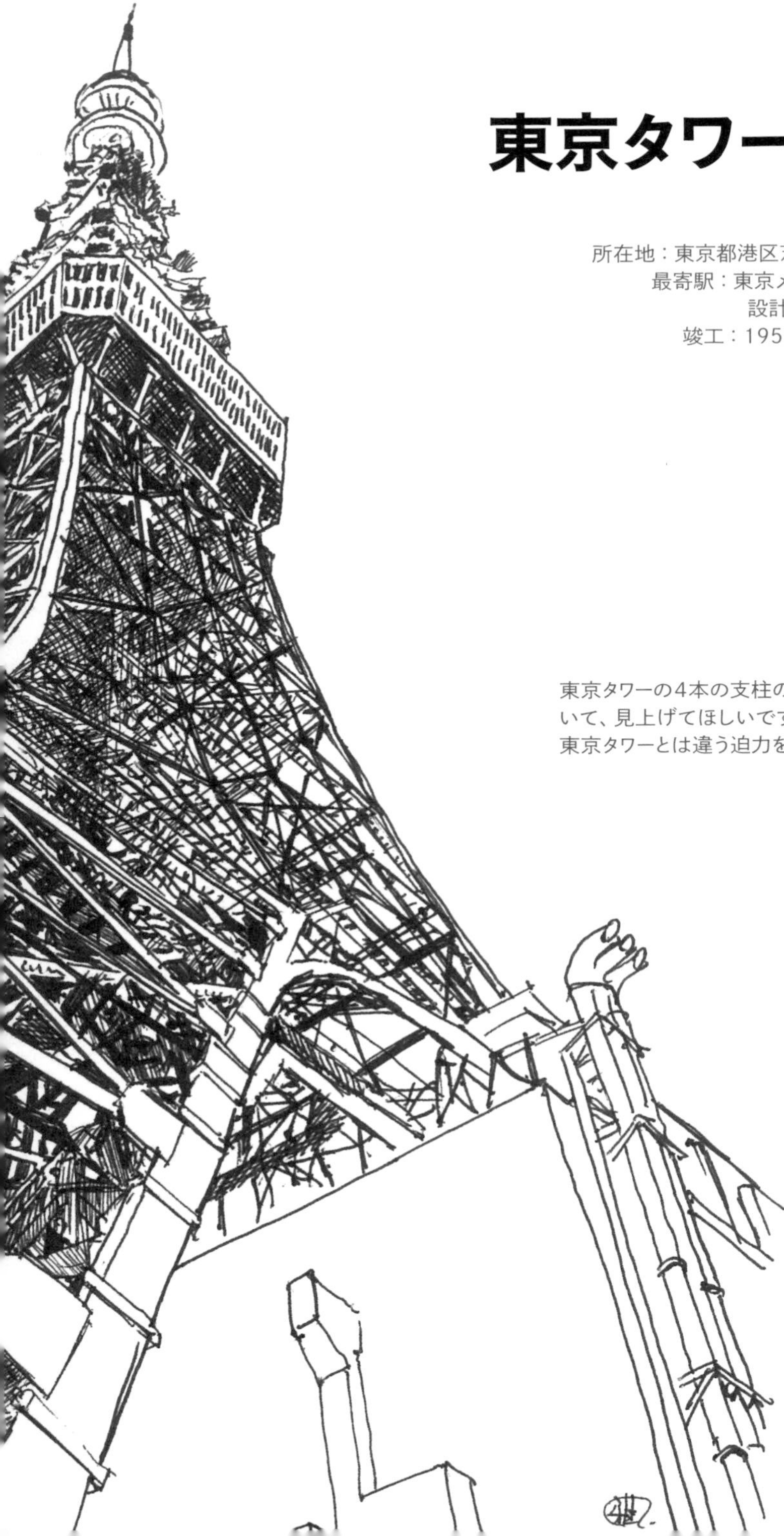

絵A

東京タワーの4本の支柱の足元まで近づいて、見上げてほしいですね。遠望する東京タワーとは違う迫力を感じますよ。

高さ333m、竣工した1958年（昭和33）当時、自立するタワーとしては世界一といわれたのが東京タワーです。「東京電波塔」が正式名称。当時の鋼材は高価で入手しにくかったため、地上250mにある特別展望台から上部の鉄骨は、アメリカ軍が朝鮮戦争で使用した戦車の残りをスクラップしたものでできています。また、最初から東京タワーの全体が竣工したわけではありません。特別展望台もタワーが竣工してから9年後に完成しています。もともと、建設当初の作業台を倉庫として使用していたスペースを活用したものです。

設計者は内藤多仲《たちゅう》と日建設計です。大阪の通天閣や名古屋のテレビ塔も同じ設計者です。

東京タワーの実現に一役買った人がいたことも知ってほしいですね。もともと、テレビ放送が開始された当時、局ごとに電波塔を建てていたため電波塔の乱立を招いていました。また、東京では高層ビルが林立しはじめ、テレビの映りの悪い地区が増えていました。

それならば、首都圏全体に届く集約電波塔を建設すればよいではないかと、産業経済新聞社長で参議院議員の前田久吉は考えたのです。世界一の高さの電波塔を作ろうという決意もそうですし、「塔博士」と呼ばれていた内藤多仲を呼んだのも彼でした。

自立式電波塔としては世界一の高さ634mを誇る東京スカイツ

リーが竣工して、高さの点では東京タワーはトップではなくなりました。ですが、ライトアップされた東京タワーを、足元で見上げると、鉄骨のダイナミックなアーチ状の形態が足元を広くみせることもあり、迫力のある光景を楽しむことができます。また、東京タワーの周囲の市街地が大きく変貌する過程で、さまざまな場所から表情の異なる東京タワーを発見できます。どんどん変貌する東京のウオッチャーとして、人気は衰えるどころか、高まっています。

少し古いデータですが、２０１８年１月時点で、東京タワーの累計の入場者数は１億８０００万人を超えました。名実ともに東京の観光名所の一つといえましょう。

東京タワーとエッフェル塔

両者は完成した年次は半世紀以上離れていますし、鉄塔という表現では共通ですが、東京タワーは軟鉄《なんてつ》が、エッフェル塔は錬鉄《れんてつ》が使われている、という具合に違います。とはいえ、建造物の高さはかなり近いですし、上部は非常にスレンダーで、下部は安定性のある、足を広げた形態という点ではよく似ています。

この類似性は意匠的な側面よりも、もっと構造力学や風工学に裏付けられた合理性がもたらしたものです。構造物の上部がスレンダーなのは、上部ほど風の影響が大きく、風圧を減らすため、スレンダーで風を通しやすい部材構成になったのです。また、下部の柱間隔がとても広いのも、塔の転倒防止のため、足元を広く確保することで安定性を高められるためです。

なお、１８８９年の万国博覧会の開催にあわせて建設された、パリのエッフェル塔が高さは３００mですから、竣工時点での比較では、東京タワーは33m高いことになります。ただし、１９５６年にエッフェル塔にテレビアンテナが取り付けられました。その結果、エッフェル塔の高さは約３２１mになりましたが、まだ東京タワーは約12m高いことになります。

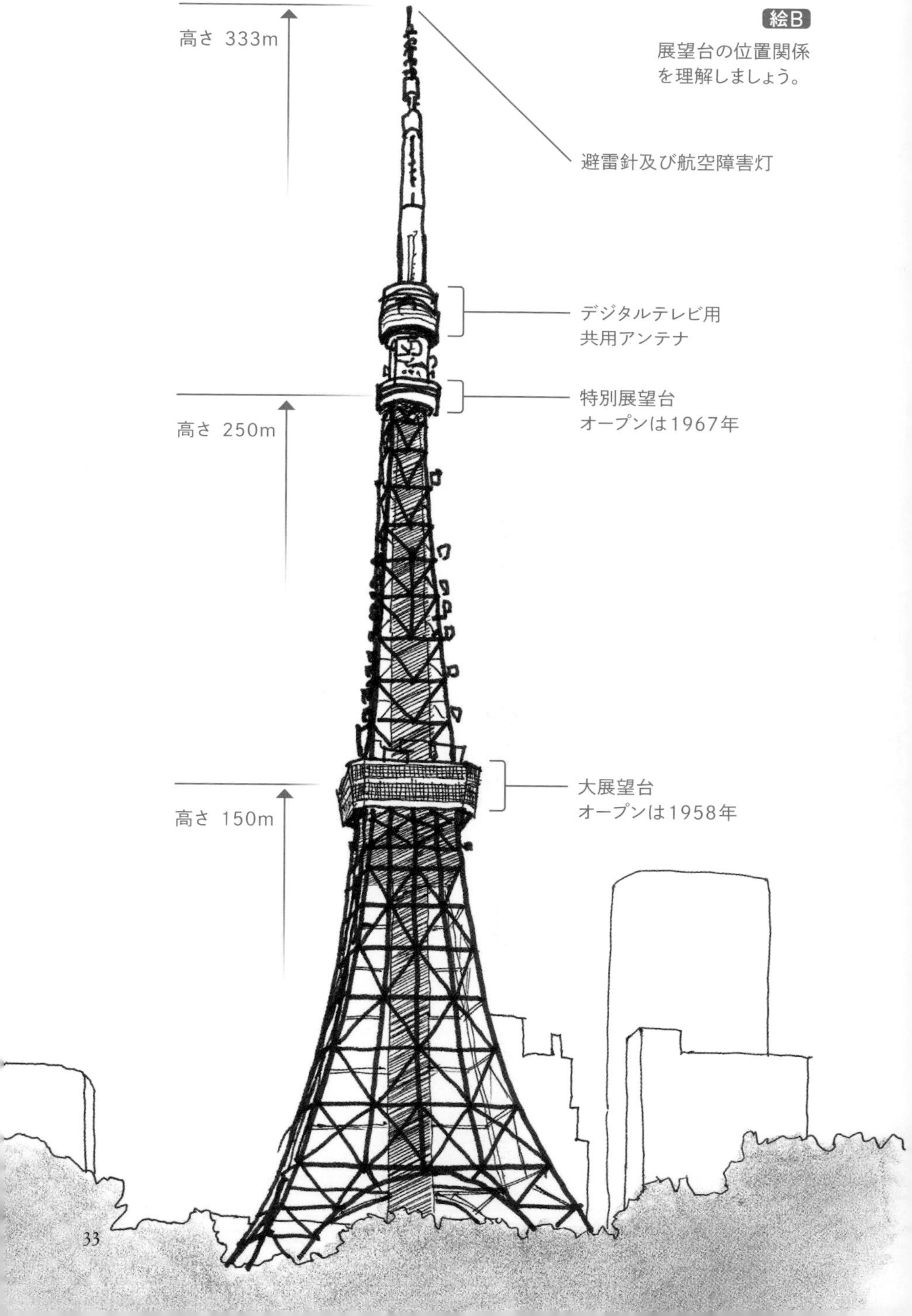
高さ 333m
避雷針及び航空障害灯
デジタルテレビ用
共用アンテナ
高さ 250m
特別展望台
オープンは1967年
高さ 150m
大展望台
オープンは1958年

絵B
展望台の位置関係
を理解しましょう。

国立西洋美術館 ｜ 04

所在地：東京都台東区上野公園7-7
最寄駅：JR「上野」／京成電鉄「京成上野」
設計者：ル・コルビュジエ、前川國男、坂倉準三、吉阪隆正
開館：1959年6月10日

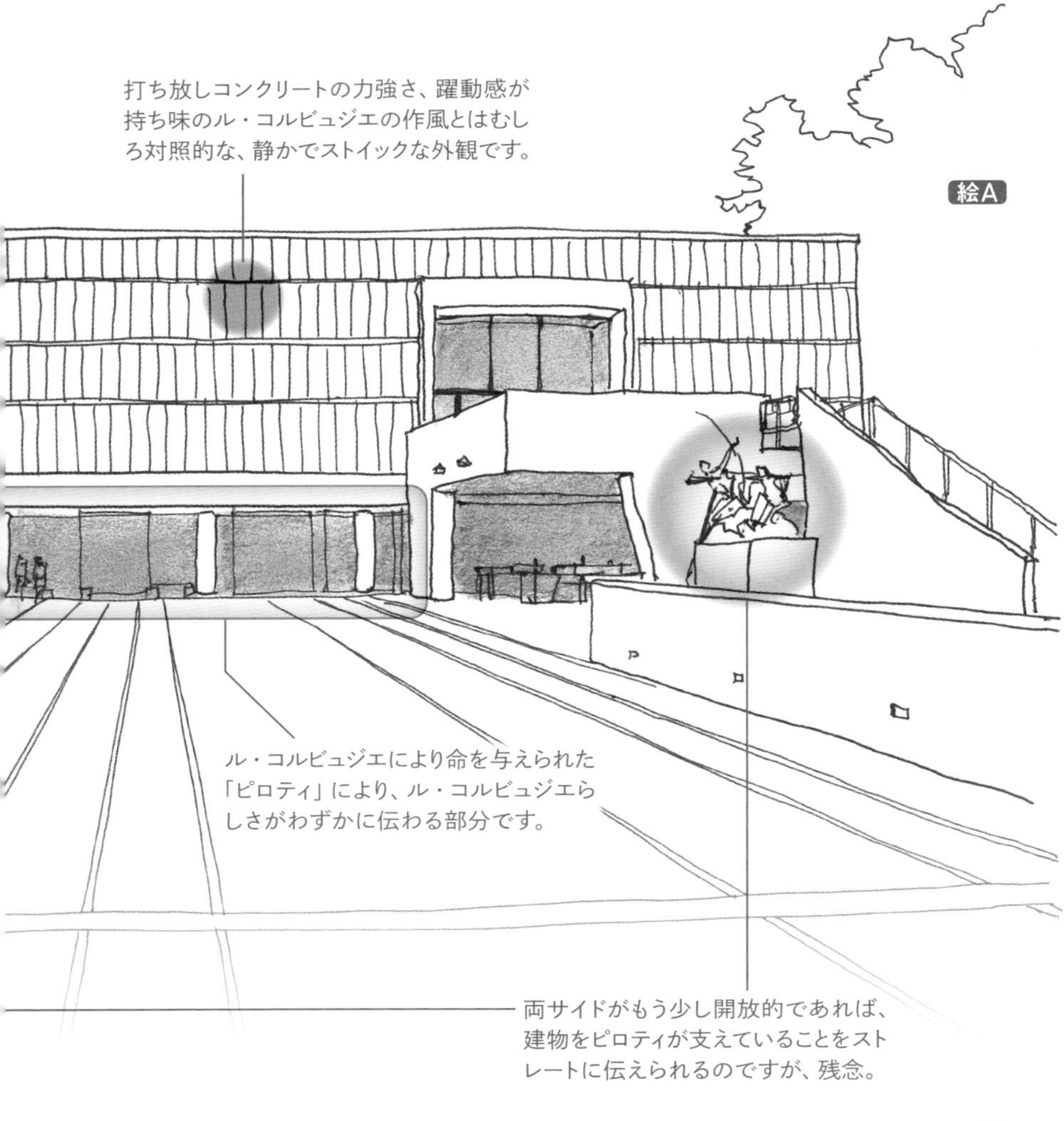

絵A
打ち放しコンクリートの力強さ、躍動感が持ち味のル・コルビュジエの作風とはむしろ対照的な、静かでストイックな外観です。
ル・コルビュジエにより命を与えられた「ピロティ」により、ル・コルビュジエらしさがわずかに伝わる部分です。
両サイドがもう少し開放的であれば、建物をピロティが支えていることをストレートに伝えられるのですが、残念。

都内の建築物で、世界遺産に初登録

国立西洋美術館は「本館」「新館」「企画展示館」からなりますが、2016年、このうちの本館が世界遺産に登録されました。本館を中心に説明します。上野公園内に位置する、都内で唯一の世界遺産です。国境をまたいだ世界遺産(トランス・バウンダリー・サイト)としては、日本では最初です。また、大陸をまたいだ世界遺産(トランス・コンチネンタル・サイト)としても、世界で初登録となっています。

国立西洋美術館の成立には、松方コレクションが大きくかかわっています。川崎造船所の社長であった故・松方幸次郎氏が収集した絵画や彫刻をヨーロッパで保管していたところ、第二次世界大戦後、フランス政府に差し押さえられたのです。日本への一部返還の交渉過程で、それを受け入れる美術館を日本側で新たに建設することという条件がフランス政府から提示され、設計者としてル・コルビュジエが指名されたのです。簡潔に記述すればそうなのですが、その過程でドタバタも発生しました。それはここでは省きましょう。

コルビュジエにとっては極東の日本は遠かったのでしょうね。こ

のときだけの、生涯一回だけの来日でした。実際の設計は、ル・コルビュジエに師事した3人の日本人建築家が担当しましたから、弟子ゆえ、安心して任せたのでしょうか。オフィシャルには、設計がル・コルビュジエ、監理が坂倉準三、前川國男、吉阪隆正および文部省管理局教育施設部工営課となっています。

とはいえ、一度来日しただけで、設計者が納得できるような作品になるとは、常識からいえば到底考えられません。設計や監理の重要局面で自ら現地に足を運び、指示するものだからです。コルビュジエが描いたのは図面とはとても言えず、コンセプトを示すラフスケッチのようなものです。もちろん、図面ならば必ず入っている寸法の記述もありませんでした。

一方、コルビュジエはインドでもいくつか建物を設計しています。インドもフランスからみて、当時さほど近い国ではなかったと思われますが、何度も熱心に現地に出向いています。設計者にとって、作品への思い入れの違いが反映したのではないか、と推測したくなります。

ル・コルビュジエの建築作品

ル・コルビュジエ（Le Corbusier スイス生まれ、フランス国籍。本名は、シャルル＝エドゥアール＝ジャンヌレ＝グリ）は、近代建築を成り立たせる、近代建築の5原則（ピロティ、屋上庭園、自由な平面、水平連続窓、自由な正面）の提唱者です。また、鉄筋コンクリートによるフレーム構造でスラブ（床板）、柱、階段が建築の主要素だとするドミノシステムをビジュアルに提示した建築家です。このような貢献に対して、世界遺産の登録は、「ル・コルビュジエの建築作品―近代建築運動への顕著な貢献―」という名称で、一括して他の16作品とともに世界文化遺産に登録されました。

確かに、近代建築の5原則は、例えば当時の日本の主な建築家の作品をみても、甚大な影響を与えたことは説明を要しません。

ところで、近代建築といえば「三大巨匠」が取り上げられます。ル・コルビュジエに加えて、フランク・ロイド・ライト(米国)、ミース・ファン・デル・ローエ(ドイツ出身、後半はアメリカで活躍)を指します。

「ピロティ」を具現化

国立西洋美術館本館は、ピロティ、スロープ、自然光を利用した照明など、ル・コルビュジエの建築的な概念が確かに個々にカタチとしては見い出せます。絵Aは、入場者が前庭から建物に入るときに見る一般的な景色です。いわゆるファサード(正面の外観)が示されていますが、ピロティはその中央部分に柱の列が4本ほど見えているだけで、ピロティの全体を見渡すことができません。前庭には、本来、あまりものを置かないことで、ピロティらしさが発揮されます。

スロープについては、竣工当時の動線として、1階の正面入口から中央のメインホールにまず入り、スロープで2階に上がるという構成そのものが、欠かせない要素としてスロープが役割を果たしています。絵Bがメインホールの光景です。

無限に成長する美術館、というコンセプト

ル・コルビュジエは、美術館についてはこだわりがあり、「無限に

フランス語で杭《くい》のことを指すピロティは、壁がなく柱だけで構成された吹き抜けの空間をいいます。

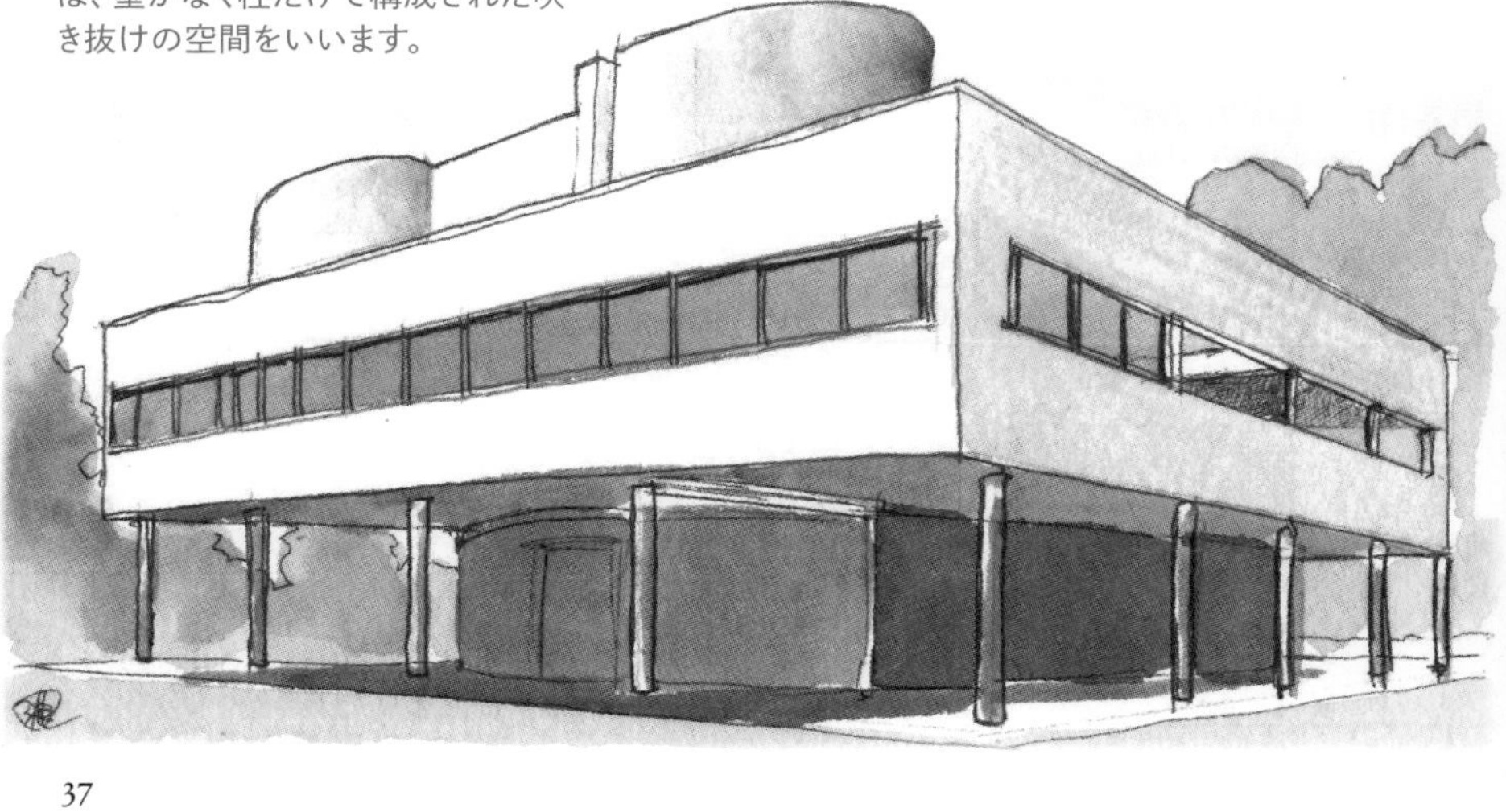

成長する美術館」、美術作品が増えても必要に応じて外側へ増築し、展示スペースを確保できる美術館の具体化を模索していました。その貴重な実例の一つとされるのが国立西洋美術館です。

参考となるイメージ絵を添えます（絵C参照）が、四角い形状の建物は全体が柱によって持ち上がっています。展示空間は2階にあり、中央のホールに設けられたスロープで2階に上がる概念です。無限発展美術館の概念は、らせん状に展示空間が拡大するというものです。

この考え方だからこそ、建物正面が、やや無表情な外観なのです。つまり、美術館が増築していけば、いま見えている壁は内部に展示区

絵B

画の壁として取り込まれます。外側に新たにできる外壁が暫定的な外観を構成する、となります。

実際に、そのようになっていればよいのですが、現実には、１９７９年竣工の新館も、１９９７年に竣工した企画展示館も、増設にあたり、その重要なコンセプトは反映されていません。もっとも、無限に成長する美術館といっても、美術館としての展示空間だけがもし無限に続くとなれば、美術館運営上の課題も次々と生じます。現実には1まわりか、せいぜい2まわりが妥当なのでしょうね。国立西洋美術館本館の敷地形状からすると、1まわり、らせん状に展示空間を拡張する余地は、当初はありましたから、今となっては遅いかもしれませんが、コルビュジエの重要提案の一つである、成長する美術館の実践例が生まれてほしかったです。

コルビュジエがもともと画家から出発して建築家になったという経歴も重要なのです。正確にいうと、建築家でかつ画家、でしょうね。美術館にかける思いや熱意は、一般的な意味での建築家以上に強いはずです。

絵C「成長する」イメージ

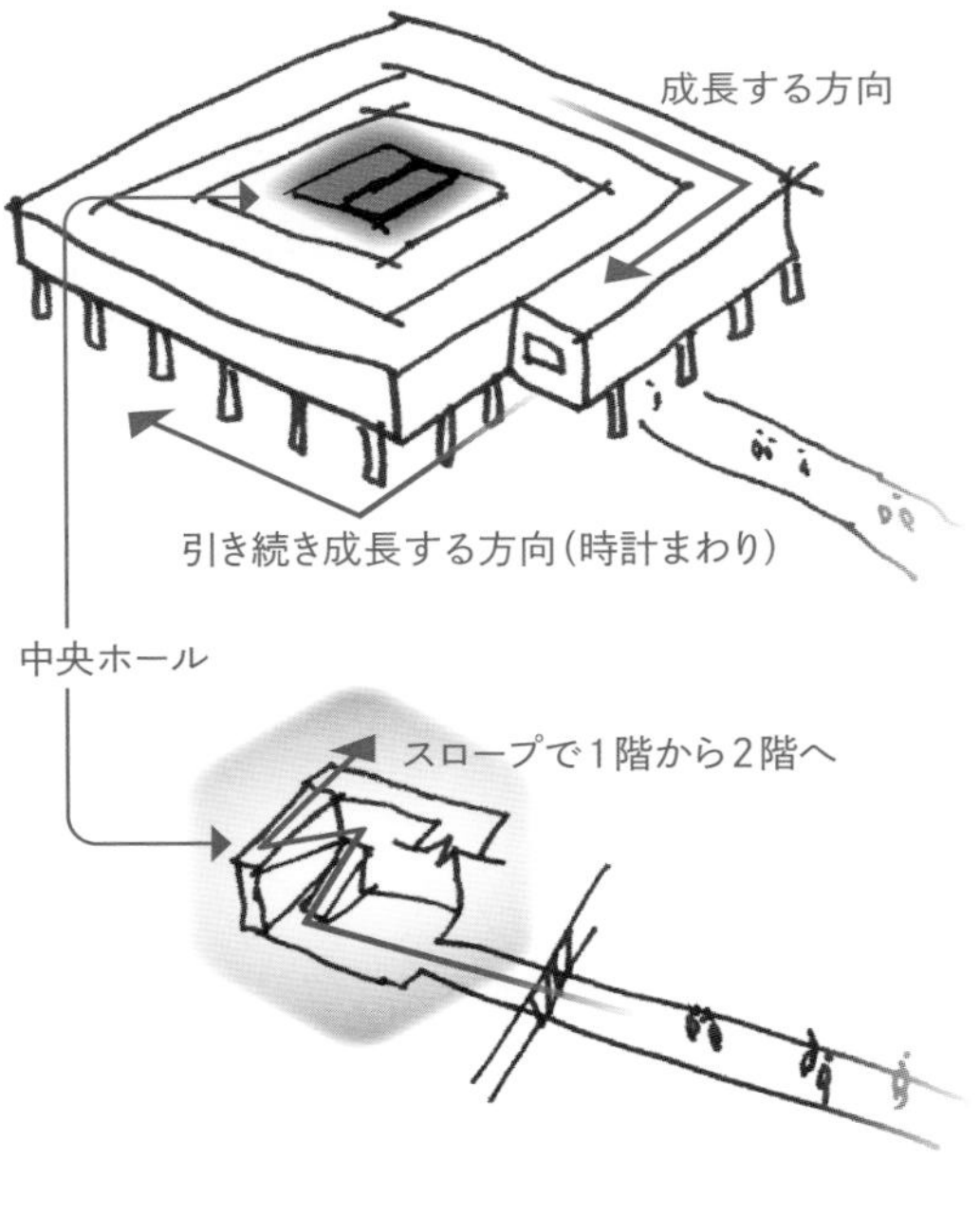
成長する方向
引き続き成長する方向（時計まわり）
中央ホール
スロープで１階から２階へ

コルビュジエの意匠表現の神髄

作品性としてル・コルビュジエらしさを実感したいのであれば、近代建築の5原則を完全なかたちで具体化した作品であるサヴォア邸（パリ郊外のポワシー）がふさわしいでしょう。あるいは、集合住宅にさまざまな都市サービス施設や店舗を組み入れた、ある種のミニ都市を体現した作品であるユニテ・ダビタシオン（集合住宅）は、コルビュジエの造形表現を知るのに適しています。たとえば打ち放しのコンクリートの量感と、ピロティによって大地から持ち上がった構造物の迫力には圧倒されます。マルセイユの近郊に建っています。

ユニテ・ダビタシオンと国立西洋美術館本館とは、ピロティの概念を明快に主張している点については共通ですが、実体としての柱の意匠については、共通性を見出すことは難しいです。国立西洋美術館本館の1階の柱群は、そのきめの細かい肌などから、むしろ繊細な列柱を彷彿とさせます。素材はコンクリートではありますが、木造の柱が並ぶような印象が強く、非常に日本的です。

成長する美術館の考え方を基本に据えるならば、一般的に建物の正面とされる壁面は、成長しつづければ、外部にある壁面は次々に、内部の区切りとなる壁面に転化するシステムなのです。ということは、その外部から内部へと変換するであろう、その現在性を、たとえば一時的な扱いとして、絵にすることが、設計概念を尊重することになります。やや難解な言い回しをしましたが、ガウディのサグラダ・ファミリアの大聖堂に通じる

絵D

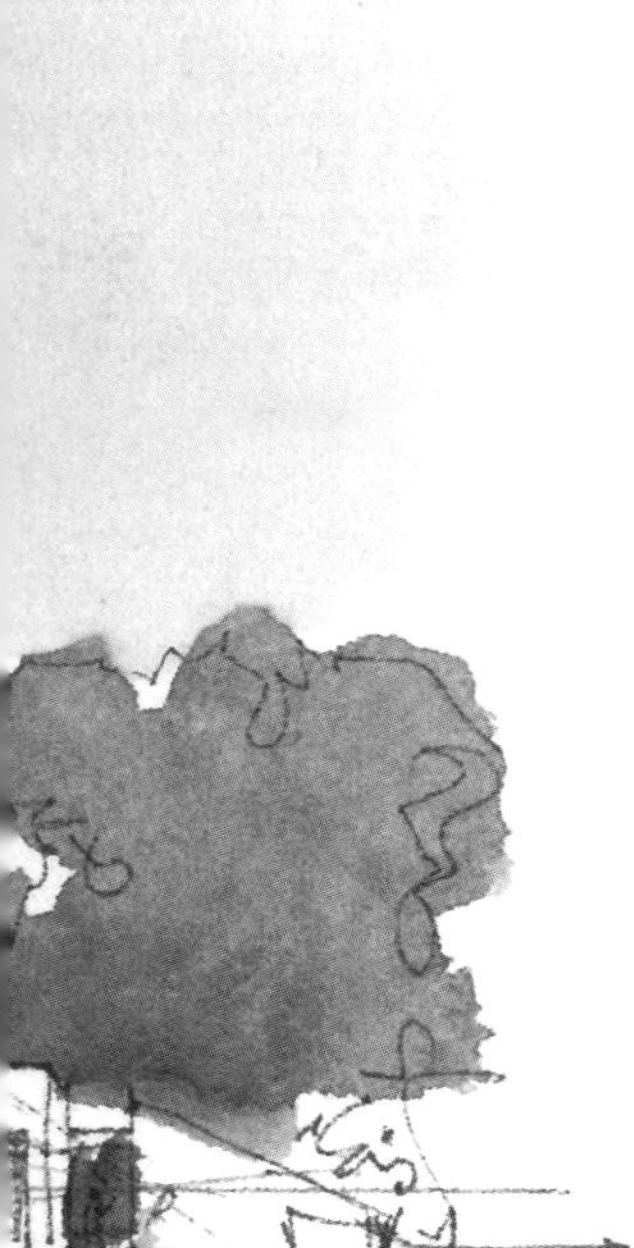

考えで、ある時期の建物の外観が、成長過程を示すに過ぎないことです。いわば「未完成の美」の価値観を提示できる建物なのでしょう。

絵Dは、国立西洋美術館本館を、南西のコーナーを中心に描いたラフスケッチです。凹凸のない壁面をそっけなく描き、箱状の展示室部分を支えるピロティ群をストレートに表現しています。前庭には、右奥にすでに存在する階段以外には、何も置かず、展示空間が成長し、前庭（2階部分）へと成長していく潜在性をあえて示しています。美術館が美術品として「未完成の美」を具現化するとしたら、やや殺風景な外観にはなりますが、意味をもつものなのです。

東京駅　05

所在地：東京都千代田区丸の内1-9-1
最寄駅：JR／東京メトロ「東京」
設計者：辰野金吾
開業：1914年

当初の駅名は「中央停車場」

東京駅赤レンガ駅舎は、開業は1914年（大正3年）で、すでに100年以上の歴史を有します。また、2003年には国の重要文

絵A
現在の東京駅赤レンガ駅舎
（中央部から北面を臨む）

化財に指定されています。

　設計者の辰野金吾は、工部大学校造家学科の第一期生。同級生には、片山東熊《かたやまとうくま》や曾禰達蔵《そねたつぞう》がいて、みな活躍しています。威風堂々とした、南北に３３５ｍにもなる長大な建造物を、明治期によくぞ企画したものと思います。実は、辰野は最初から、３００ｍ以上にわたって１棟構成の、左右対称の外観からなる建物を構想したわけではありません。

　もともと明治新政府から設計を最初に依頼されたのは、ドイツ人鉄道技師のフランツ・バルファーです。日本瓦屋根の建物を、機能別に並べる小さくまとまった案をバルファーは提出しました。その案では国威発揚の駅にふさわしくないと新政府は判断し、別の候補を探し、辰野金吾に依頼したいきさつがあります。駅舎の入口と出口をそれぞれ分離し、入口は現在の赤レンガの建物の南側に、出口は北側に専用口として設けた案を辰野は作成しますが、その点はバルファーの考えを引き継いでいます。したがって入口と出口はずいぶんと離れていました。両者の中間には、ほぼ中央ですが、皇室専用入口が設けられました。

完成した駅舎は、鉄骨レンガ造3階建てで、外観はイギリスのビクトリア調を基本に、クイーン・アン様式です。赤レンガと白い石帯（石は、無垢の石と擬石《ぎせき》の併用）が

絵A-1

全体として赤レンガと白い花崗岩の帯とが織りなす模様が外観の特徴です。「辰野式」と呼ばれるデザイン

中央
南ドーム下が
乗車口
当初は皇室用の出入口

特徴で、「辰野式」と呼ばれました。

駅の名前は正確には「JR東京駅丸の内本屋」ですが、当初の駅名は「中央停車場」。そこには東京という名前がついていませんでした。名前がなくとも「中央」駅で事が足りたわけです。まさに日本の顔の駅だったことがわかります。

現在の東京駅は二度の大きな工事を乗り越えた姿です。一度目は、第二次大戦の大空襲による焼失と応急復旧。空襲は1945年（昭和20年）5月25日のことで、屋根はほぼ完全に消滅し、室内もほとんど焼失しました。そして1947年には応急復旧が完了しました。

また二度目は、2012年（平成24年）の本格復元です。戦災により焼失して2階建てだった部分は、3階建てへと戻り、ドーム部分もそれまでの8角形の屋根から丸型ドームへと戻りました。あわせて免震工法で耐震工事も行われました。

100年前の姿を復元

絵A－1は、創建時の姿に復元された、2021年現在の東京駅の姿です。このアングルと構図では、とても1枚の絵には入らないので中央部から丸の内北口方面への外観を描いています。絵の右側は南方面ですが、左右対称が基本なので、南半分の外観についてもおおむね同様と考えてください。

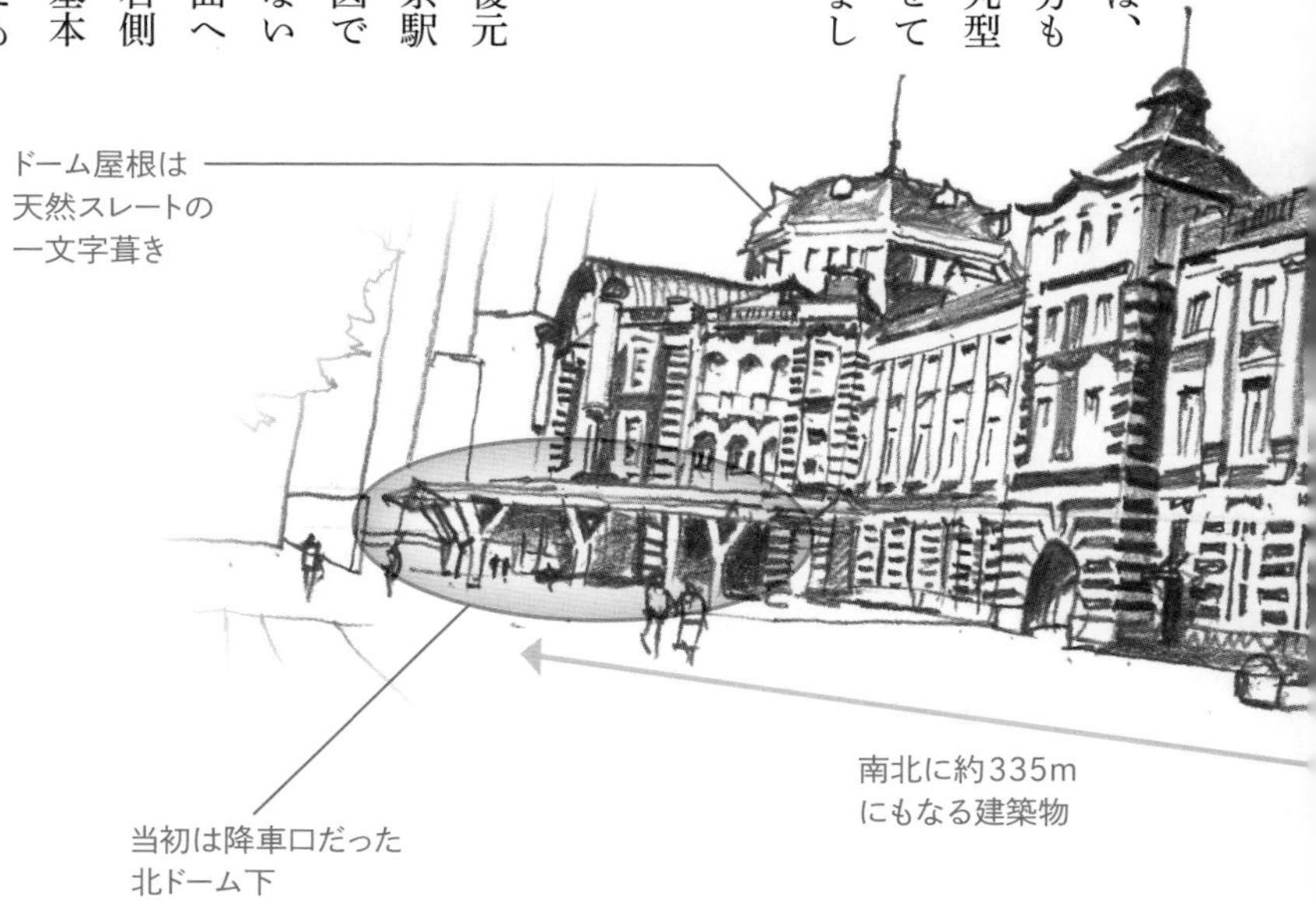

ドーム屋根は天然スレートの一文字葺き
南北に約335mにもなる建築物
当初は降車口だった北ドーム下

この絵の中に、先ほど述べた重要ポイントの説明を加えます。

本格復元に必要な費用ですが、ＪＲ東日本は５００億円ともいわれる駅舎復元や保全の資金調達にあたって、「空中権」の売買で捻出しました。赤レンガ駅舎は、周囲に超高層ビルが林立する様子からもわかるように高度利用が求められるエリアにあって、わずか3階建てです。建物の上空の空間を十分に活用していないともいえます。

２０００年に行われた法改正で商業地域などを対象に、特例容積率適用区域の制度が創出されました。この制度をＪＲ東日本は活用したのです。赤レンガ駅舎の上空に存在する約18ヘクタールの未利

絵A-2

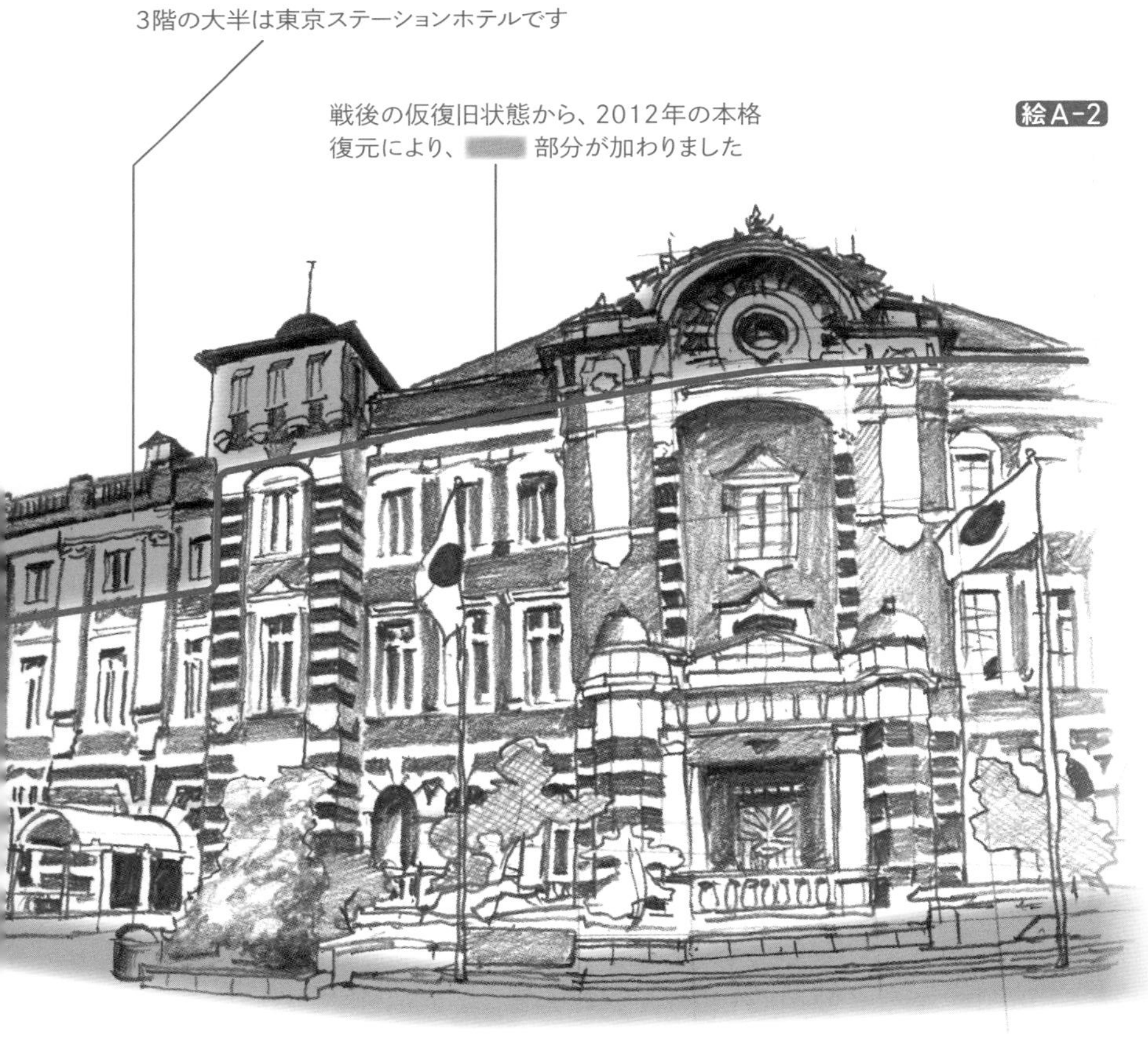
3階の大半は東京ステーションホテルです
戦後の仮復旧状態から、2012年の本格
復元により、　部分が加わりました

用の容積を、周辺の敷地所有者へ移転（売却）することで事業が成功しました。

絵A－2には、2012年の本格復元によって、外観がどのように変わったかについて説明しました。復元後のドーム型屋根についてですが、宮城県産とスペイン産の粘板岩の薄板（建築用の屋根建材として使われる粘板岩の薄板はスレートとも呼ばれます）を重ねて葺《ふ》いています。稜線の部分などには銅板が用いられています。

時系列による、駅舎の変貌

東京駅赤レンガ駅舎は開業してから31年後に、空襲により構造体である外壁などを残して焼失します。2年の応急的な復旧を経てそれから60年ほど、その状態で駅舎はフル稼働しました。資材の乏しい状況下にあって、応急とはいえ施工された事業者の施工技術力が非常に高かったことを示しています。本格復元が始まり、創建時の姿に戻ったのが2012年、というわけです。

今述べたことを、ビジュアルに理解してもらうために、絵Bを用意しました。駅舎全体が非常に横に長いので、丸の内地区のどこから駅舎を眺めても街路樹も多く、全体を見渡すのは困難です。そこで、図面などから描いていきます。絵をかなり縮めて表現する都合か

ドームは、八角寄棟型をタマネギ状のドーム屋根へと復元されました
1階、2階の保存部分と地下の躯体《くたい》の間に免震装置が新設されました（その装置は外観からはわかりません）

ら、細かい意匠にはこだわらず、全体的な変化をつかめればよいとして絵をご覧ください。

　上から順に4つの段階の、東京駅赤レンガ駅舎全景です。

　1段目は、辰野金吾の描いた原案とされるものです。乗車口と降車口とが大きく分離し、それぞれドームを抱く様子がわかります。興味深いのは、小刻みに、さまざまなカタチの屋根がかかっている点です。堂々とした、東京の表玄関らしさはあまり感じられません。

　2段目は、1914年、東京駅赤レンガ駅舎の開業の姿です。現在の東京駅は、この創建時の姿に近づけるように本格復元されていますから、イメージしやすいです

絵B

辰野金吾の原案をラフに写し取ったものです。

1914年、創建時の東京駅の正面です。

1947年、戦災からの復興を遂げた東京駅

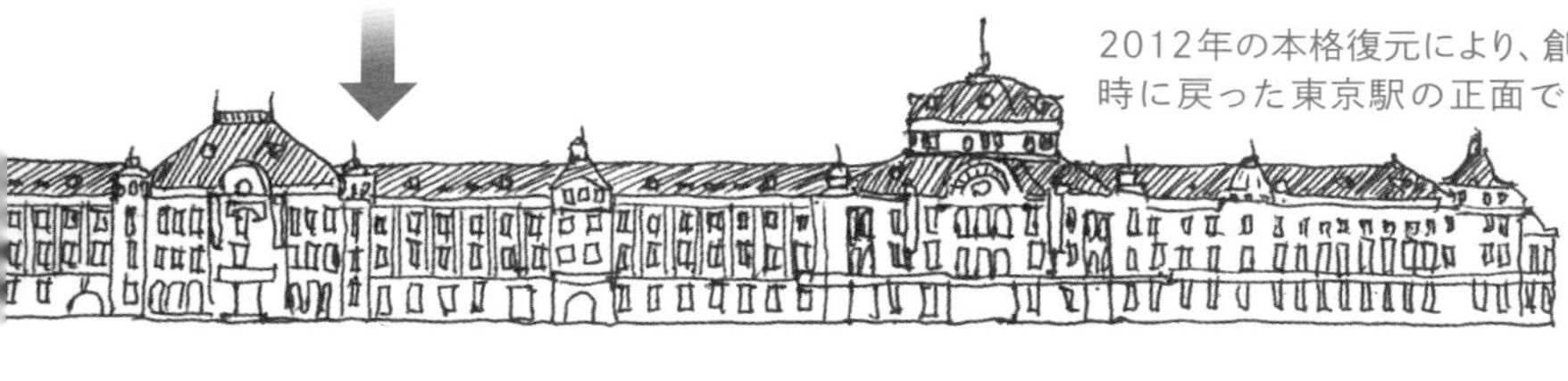
2012年の本格復元により、創建時に戻った東京駅の正面です。

ね。建物外観がほぼ3階でそろっていますから、威風堂々とした風格を感じさせます。

3段目が、戦災から、2年という短期間に応急的復旧された駅舎の外観です。この外観は、60年という長い年月、駅の顔として利用されてきましたから、多くの人にとって、むしろこの外観のほうが親しみをもって記憶されているはずです。

私も、上京したときもそうですし、それから40年という長い年月を、この外観とともに過ごしてきました。正直なところ、この外観、気に入っています。3か所のシンボリックな大きな屋根部分とそれ以外の、相対的に低い屋根部分とでボリューム感のメリハリがあります。３００ｍを超えるような横長の建物には、これくらいの、高さの違いがふさわしいのではないか、と思います。今はすでにない光景ですが、東京駅の都市景観として少なくとも記憶に留めたいですね。

4段目が、現在の東京駅の外観の全体像です。

また、同じ縮尺の絵で、完全復元によって何が大きく変わったかを、見てもらいましょう。向かって右側の部分で説明しています。同じことは、左側にもおきます。

絵C（次頁）を見てください。

アムステルダム中央駅との比較

片山東熊の設計総指揮による赤坂離宮の場合もそうですが、お手本にした西洋の建築についていろ

いろとこれまでも発表されています。特に建物外観については、お手本にするくらいですから、当地でも代表的な建物の可能性が高く、多くの人の目に触れてもいます。

東京駅については、しばしば指摘されるのはオランダ、アムステルダムの中央駅と酷似している点です。絵Dはアムステルダム中央駅です。これは中央部分で、実際に駅舎は横に長く、建物の全体像が絵Eになります。確かにアムステルダム中央駅の外観は、東京駅の中央の、皇室が使用する部分にかなり似ています。最終的にはそれぞれの判断にゆだねられますが、アムステルダム中央駅の外観が東京駅の意匠設計に、なんらかの影響を与えたのではと思われます。

現代とは違い、当時は西洋の先進国から貪欲に学びとることが急務とされた時代です。鉄道のような、日本の国力を象徴し、国家がまっさきに整備すべき社会インフラの場合、駅舎のお手本を探し出し、吸収する行為は当然のことです。

それよりも、私が興味深かったのは、非常に横に長い、ターミナル駅のような巨大建築物の意匠設計において、シンボリックな造形が求められること、その場所は端ではなく中央部であること。アムステルダムの中央駅は、まさにそのカタチを体現しています。

ひるがえって辰野金吾の設計した東京駅では、もっともシンボリ

絵C

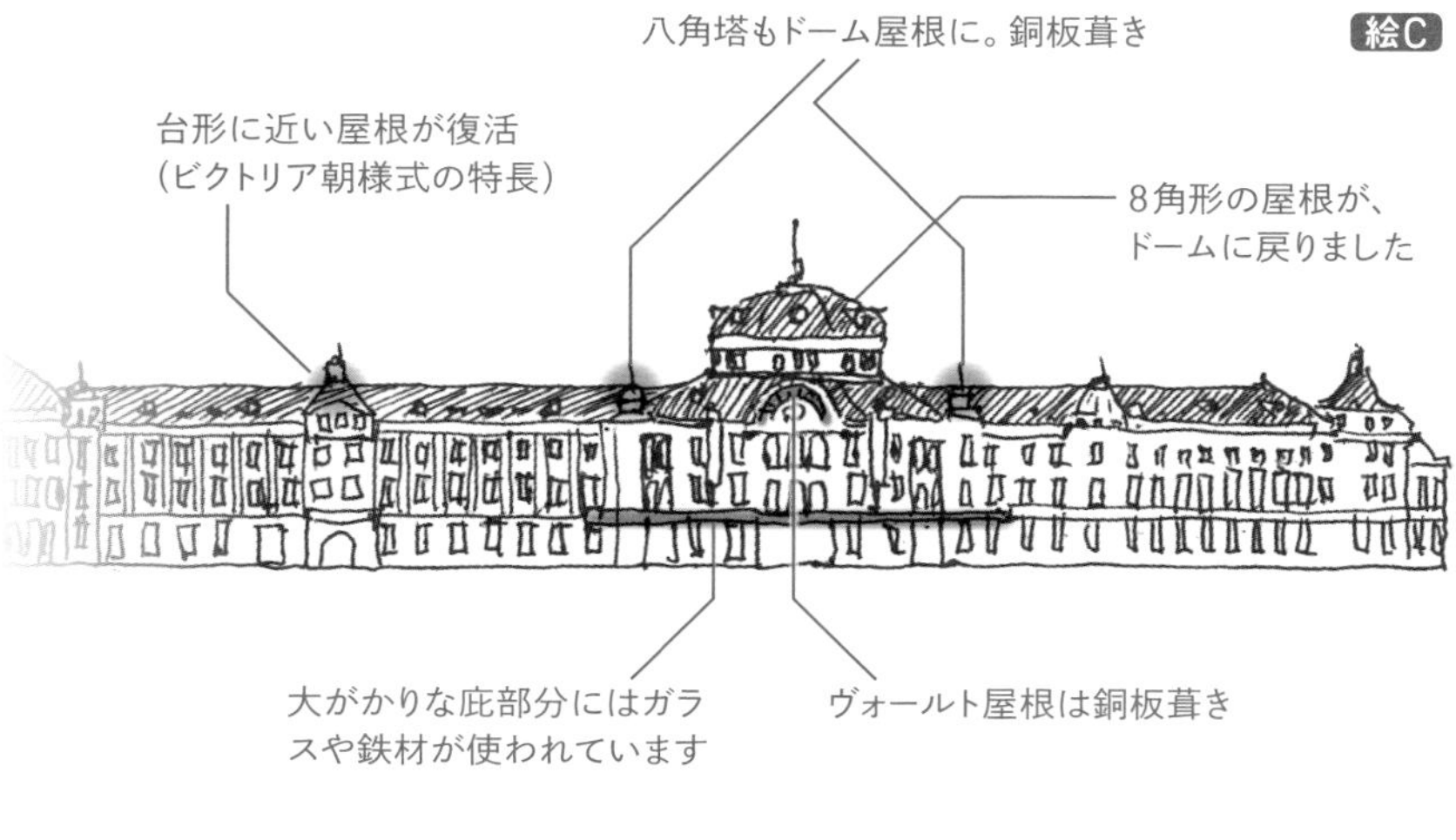
八角塔もドーム屋根に。銅板葺き
台形に近い屋根が復活
(ビクトリア朝様式の特長)
8角形の屋根が、
ドームに戻りました
大がかりな庇部分にはガラスや鉄材が使われています
ヴォールト屋根は銅板葺き

ックな造形が期待される中央部よりも左右に設けられた、駅乗降口を含む施設に、ドーム屋根を載せるなどのシンボル性が付与されました。このため、東京駅の、本来もっている記念碑的な性格がかなり薄められたことは間違いないでしょう。絵Eの、建物のスカイラインのリズムを見てもわかるように、アムステルダムの中央駅の全体外観は、中央部に2本の塔を左右に配した記念碑的な造形によって、強固なシンボル性を獲得しています。東京駅も、長大なスケールにおいては、遜色ありません。その巨大性ゆえに発揮される造形的手腕がもう少しあれば、と思うのは考えすぎでしょうか。

絵D

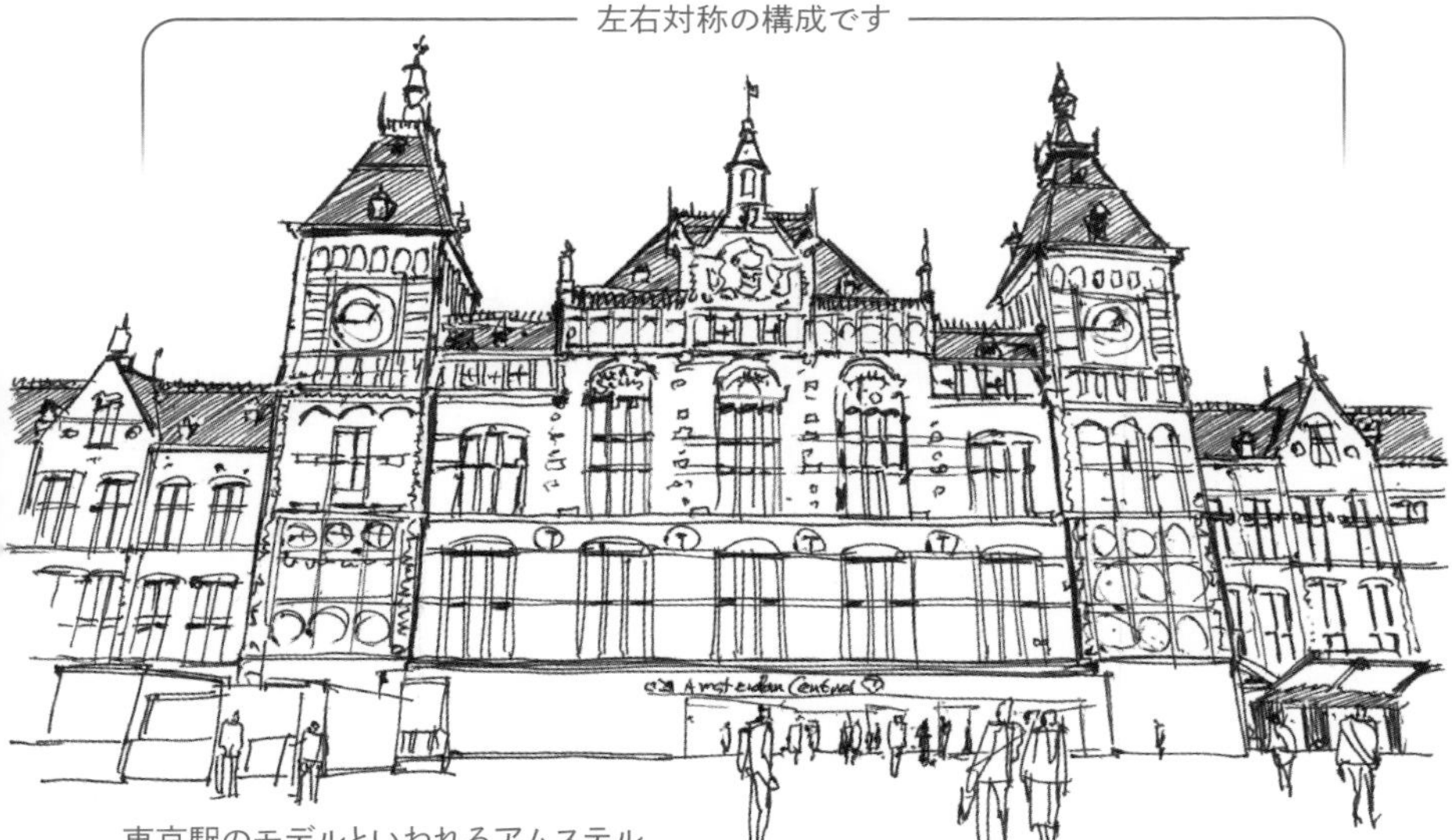

東京駅のモデルといわれるアムステルダム中央駅の、中央部です。駅全体はとても長大です

絵E

絵Dはこの範囲を表現しています

ドームの内部空間を見過ごしていませんか

東京駅を利用する人は、ドームをいだく大空間の下の円形の広場を通って行きます。改札前の場所ゆえ、立ち止まる人も少ないのですが、ここは、広場の脇でじっくり上部のデザイン意匠をご覧いただきたいですね。

絵Fは丸の内北口のドームの大空間を見上げた絵です。基本的にはヨーロッパの伝統的なスタイルですが、随所に「和」の装飾が見つかります。上から下へ、順にみていきましょう。ドームの中心には、鉄道にちなむ、機関車の動輪(車輪の一つです)をモチーフにしています。その車軸の心棒にあたる丸い部分には菊の文様があります。あるいは車輪の外側の輪にはクレマチス(8弁の大きな花をつけます)が装飾化されています。ただ、よほど目を凝らさないと見えにくいですが。

正八角形のそれぞれの角には鷲のレリーフが見出せます。さらに下った位置で、ドームの基部にあたるところには、干支のうち8つが飾られています。その下、アーチの足元には、鳳凰と車輪と矢の束を組み合わせたモチーフが同じように8つ設置されています。その近くには、アーチごとに2か所ずつ、鏡と剣のモチーフが飾られています。3種の神器のうちの2つですから、天皇家を意識したデザインですね。

こんな調子で、まだ細部にはいろいろなモチーフがあります。3階のテラスの下にあたるところに月の満ち欠けが連続的に表現されています。面白い発想です。さらに下がり、8本の柱の柱頭には「ADMMXII」が刻印されています(2012年のこと)。さらに、床面には放射状の幾何学模様が描かれています。これは仮設の戦災復興の建物においてローマのパンテオンを模したドームが掛けられていましたが、その天井を床に転写したものです。見どころ満載でしょう。

ところで、3階は東京ステーションホテルの客室などで使用され

絵F

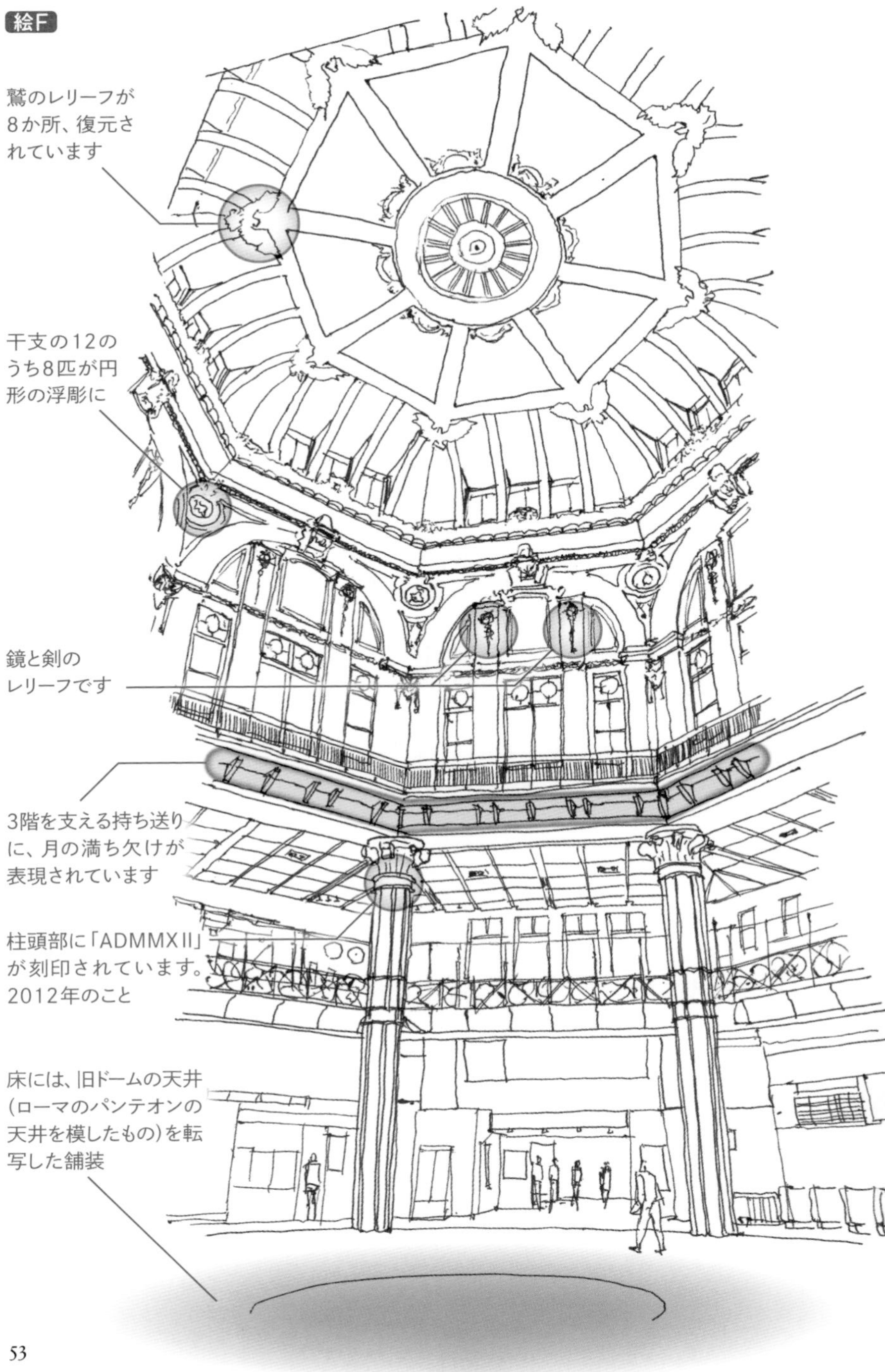
鷲のレリーフが
8か所、復元さ
れています
干支の12の
うち8匹が円
形の浮彫に
鏡と剣の
レリーフです
3階を支える持ち送り
に、月の満ち欠けが
表現されています
柱頭部に「ADMMXII」
が刻印されています。
2012年のこと
床には、旧ドームの天井
(ローマのパンテオンの
天井を模したもの)を転
写した舗装

ています。ドーム内を見下ろせる客室もあり、鉄道ファンにはたまりません。

辰野式といわれる意匠スタイル

東京駅では、辰野金吾の「辰野式」あるいは「辰野式フリー・クラシック」と呼ばれている、個性的で華やいだ意匠が数多くみられます。それについて考察してみたいのです。その手がかりとして、創建時の姿に復元する際に考慮されたことをいくつかみてみましょう。

絵Gは、外観の最も多くの面積を占める、レンガ造の1階には白いストライプ模様、2階と3階は垂直線を強調した典型的な部分を取り出しています。戦災で焼けたため、2階建てで応急修復したところを、本来の3階建てに復元する際に、例えば2階にあったレリーフは3階に移しています。3階部分の柱は新しく作られ、設置されていますから、1、2階の、もとからある外壁のテクスチャーとは色調などがはっきりと区別できます。また、1階には全面的に、横のストライプが何本も入っていますが、これはなかなか上品で、華やかです。おそらく、みなさんは本物の石を外壁に使っていると思われますね。実はそうではありません。擬石あるいは人造石と呼ばれますが、石に似せた材料で作られた部材が数多く使われているのです。コスト面で有効な方法ですし、それは大いに評価できます。適材適所の使い方です。

窓などの開口部の上部にアーチ造も多用されています。そこに使われる石には、意匠上、厚みも必要なので、本物の石材が使われています。たとえば、絵Hの3連のアーチの場所ですが、バルコニーの石や、アーチの、楔《くさび》を打ち込んだような箇所は、本物の石が使われていますね。

もともと、西洋では石は柱など、構造的な役割を担う部分に使われてきました。それに対して、レンガ壁は壁構造として、面を構成する役割を担ってきました。そんな

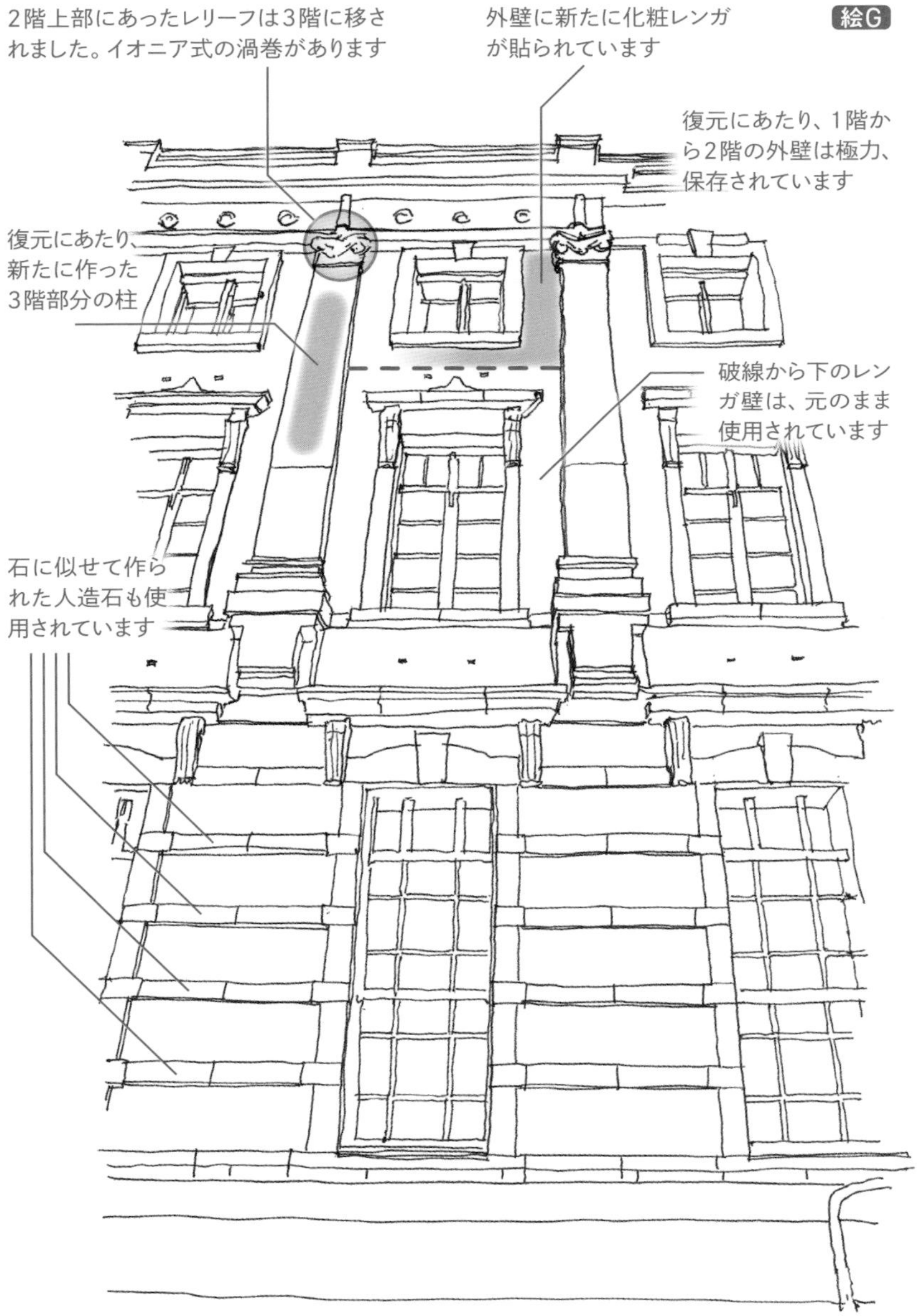
絵G
2階上部にあったレリーフは3階に移されました。イオニア式の渦巻があります
外壁に新たに化粧レンガが貼られています
復元にあたり、1階から2階の外壁は極力、保存されています
復元にあたり、新たに作った3階部分の柱
破線から下のレンガ壁は、元のまま使用されています
石に似せて作られた人造石も使用されています

長い歴史があります。

　そういった目線で見ると、絵I で、ごく一部だけ紹介しますが、不思議な使われ方がされているのです。たとえば、絵Gで紹介した典型的な一般部ですが、2階、3階を通すように白い付け柱が規則的に並んでいます。その位置が1階の、荷重を受ける壁へと結ばれている場所はなんら問題ありません。ところが、1階のやや大きめのアーチの、ちょうど中央に柱と位置が揃う付け柱が見つかります。けっこう目立つ位置なので違和感を覚えます。

　あるいは、窓の上部にペディメント（三角形の造形）が随所で見られます。場所ごとに、微妙にカタチ

絵H

を変えて設置されていますが、多様性を示す意図なのでしょうか。合理的な説明が見出しにくいです。こうした例は、西洋ではマニエリスムの時代に「逸脱のデザイン」として、流行した時期もあります。つまり、あえて不合理なデザインを採用し、話題性を振りまく手法です。

もう一つ。北と南の、それぞれの改札口への玄関には巨大な庇が設けられています。そこには金属製の支えがついています。曲線を多用した、それ単体としてみれば、おしゃれで楽しいのですが、アール・ヌーボー調です。ほかの部位の意匠との違和感がそこにもあります。

おそらく、擬石という、どちらかというと積むよりは貼る感じの外壁素材を、本物の石材と併用して外観デザインを行う中で、石の白とレンガの赤というように、色彩のパターンの組み合わせに依存したためではないか、と類推します。そうでないと、石材の良さを理解したうえで合理的な表現の秩序がもっと感じられるはずだからです。

ほかでも触れていますが、大規模な建築物では、こうしたデザインの秩序を合理的に構築していてはじめて、さまざまなバリエーションを展開できるのです。それは、また巨大建物にありがちな単調さに陥ることを防いでもくれます。

いまは存在しませんが、旧万世《まんせい》橋《ばし》停車場（1911年の竣工）の外観は、白い帯が縞模様に赤いレンガ壁に大々的に入っていました。当時、道行く人にも目立ったでしょう。東京駅に先立つその駅舎において、辰野式といわれる意匠スタイルはその規模ではあまり破綻はなかったのです。

また、コーナーに塔などを配する手法は辰野が好んで用いたものです。旧日本生命保険会社九州支店の建物では、白い石の帯の外壁と、塔のコーナーを引き締めるクラシック風の付け柱が映え、角地に建つ建物にシンボル性を持たせることに成功しています。おそらく、建物規模がさほど大きくない場合には、辰野金吾の手法は十分に発揮されたのです。とすると、横に非常に長い外観をもつ東京駅の場合、辰野金吾の意匠設計の背後に、統一するデザイン原理、言い換えるならば合理的な秩序が必要だったように思います。

辰野金吾は明治期を代表する建築家

辰野金吾は、東京駅や日本銀行本店などの設計者として、明治期を代表する建築家ですし、日本の近代建築のパイオニアであることは間違いありません。一方、教育者としても東京帝国大学工科大学長、建築学会会長として長期にわたり君臨しました。日本建築の歴

絵Ⅰ

付け柱の位置と1階の壁部分とで整合性がとれています。安心して見られます
その点、付け柱とはいえ、下部が1階のアーチの中央にあたる位置関係になっています。アーチを2つに分けるなどすべきでしょう

史を研究することの重要性を説き、日本建築史の講座を作ることに尽力したことでも知られています。

　また、辰野は、片山東熊と妻木《つまき》頼黄《よりなか》(1859―1916)を含めて、近代建築の3巨頭とも呼ばれています。官庁営繕のボスであった妻木頼黄は、おそらく辰野金吾にとって生涯をかけたライバルだったと思われます。この妻木頼黄は重要文化財である横浜正金銀行本店や、横浜みなとみらい地区の赤レンガ倉庫群などの設計者として知られています。

　辰野金吾は実直な性格の人物とされますが、同じ建築家の設計による日本銀行本店に注目しましょう。東京駅北口あるいは八重洲口からでも徒歩で行ける距離にあります。常盤橋のすぐ近くにある、重量感あふれる石造で、権威を体現したような建物です。不思議なのは、しばしば指摘されてきたことですが、上空からこの建物を見下ろすと、漢字の「円」のカタチをしている点です。

　日銀の本店ですから通貨の「円」は実に言い当てて妙、ですが、この建物を上空から俯瞰することは、現実には非常に困難です。つまり、普通には容易には見ることのできない状況でしか見られない「円」を、設計者が意図したのかと勘繰りたくなります。辰野金吾のこだわりの一面かもしれません。

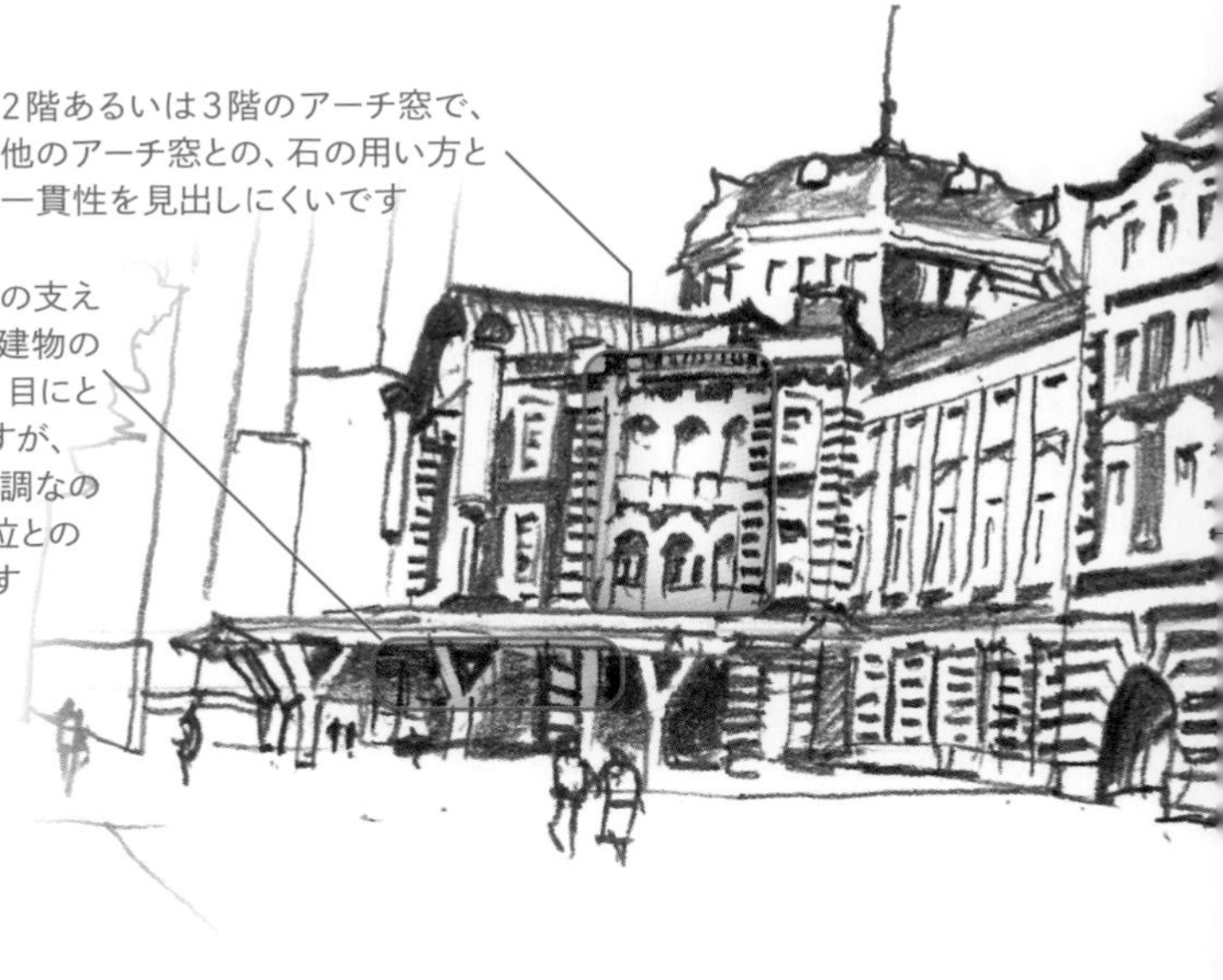
2階あるいは3階のアーチ窓で、他のアーチ窓との、石の用い方と一貫性を見出しにくいです
庇の下に金属製の支えがついています。建物の出入口にあたり、目にとまりやすいのですが、アール・ヌーボー調なのです。ほかの部位との違和感があります

聖路加国際病院 ｜ 06

所在地：東京都中央区明石町９－１
最寄駅：東京メトロ「築地」
設計者：Ｊ・Ｖ・Ｗ・バーガミニー
開館：1933年

絵A
十字架がのってます
この尖塔はネオゴシック様式の建築で、アール・デコ調の装飾です1992年の改築でも、この尖塔や礼拝堂は保存されました
この先にトイスラー記念館があります

落ち着いた雰囲気の敷地環境

都心部の一角にありながら、まとまった広大なエリアに聖路加国際病院が立地しているのにまず驚かされます。もともと明治維新後は、外国人居留地として開発されました。したがって、治外法権のエリアです。

文明開化の出来事が、次々にこの地で起きました。一例を挙げますと、ガス灯や電信の最初の地だったのです。あるいは慶応義塾大学のスタートも、福澤諭吉が中津藩中屋敷の中に蘭学塾を開きますが、ちょうど聖路加国際病院のあたりです。

聖路加エリアの第1街区の正面入口の風景です。

現在、西から東へと、道路をはさんで大きく3つのエリアから構成されています。順に第1街区、第2街区、第3街区、です。第1街区は国際病院旧館のあったところで、竣工後65年経過した1998年に再開発事業が完成しました。そのさい、ネオゴシック様式のチャペル（装飾はアール・デコ調です）は再生保存されています。また聖路加看護大学などが立地しています。絵Aは第1街区における、保存再生された中央部の景観です。また、ランドマークとなっている尖塔に着目して描いたのが絵Bです。全体としてアール・デコ調の、非常

絵B
尖塔の頂部を見上げたところ

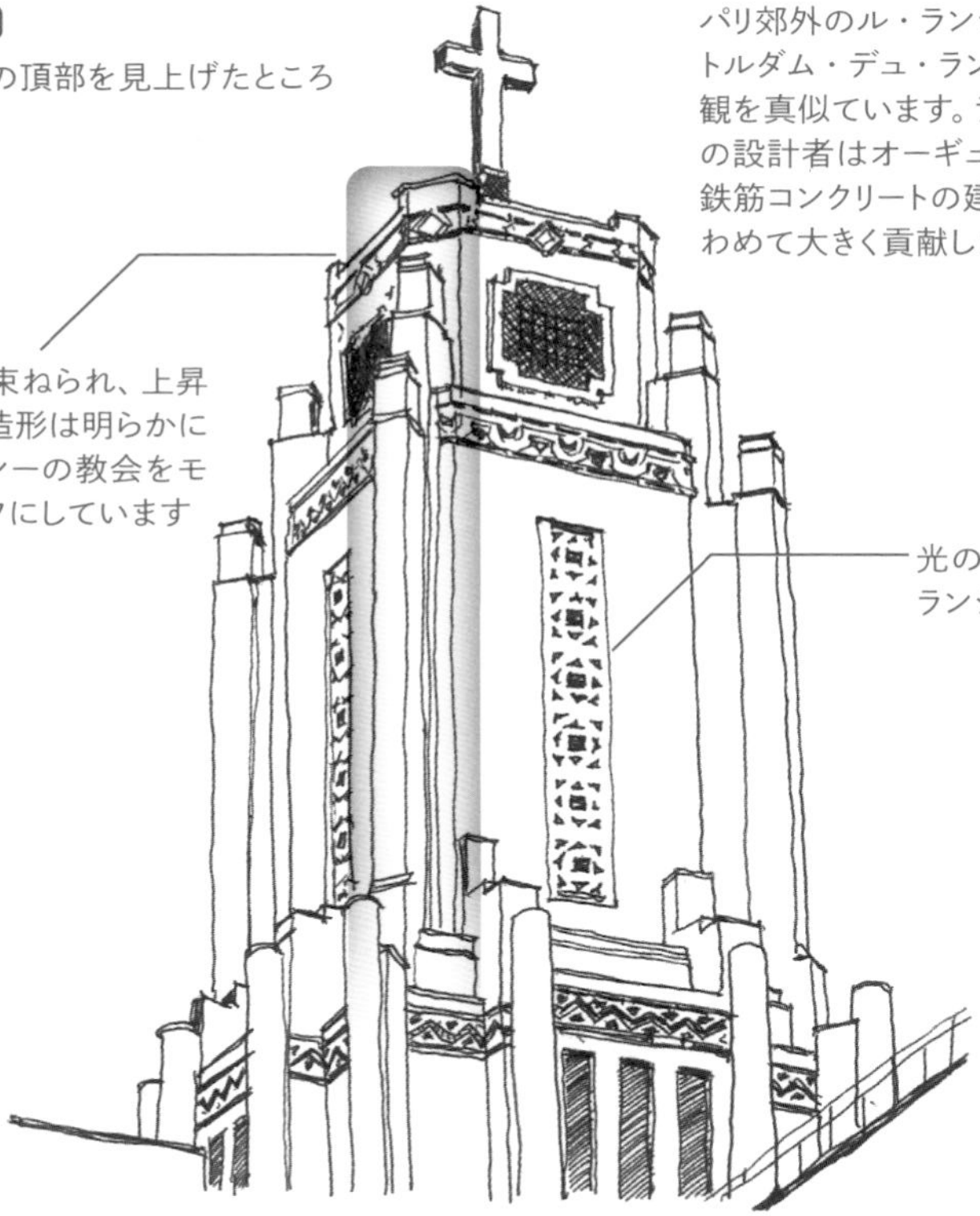
パリ郊外のル・ランシーに建つノートルダム・デュ・ランシー教会の外観を真似ています。ランシーの教会の設計者はオーギュスト・ペレで、鉄筋コンクリートの建築の普及にきわめて大きく貢献した建築家です。
柱が束ねられ、上昇する造形は明らかにランシーの教会をモチーフにしています
光の帯の意匠もランシー譲り

に凝った造りです。

聖路加国際病院は第2街区に新たに新築されました。第3街区には、聖路加タワーと呼ばれる超高層ビルが建ちました。47階建てと38階建てのツインタワーで、都市景観としてもランドマーク的存在です。なお、エリアの一角に、聖路加国際病院トイスラー記念館がありますが、隅田川べりにあった施設を移築復元しています。絵Cは、トイスラー記念館のみえる第1街区から東方向を眺めています。

聖ルカ礼拝堂の誕生

ドクター・トイスラーが米国聖公会宣教医師として1900年（明

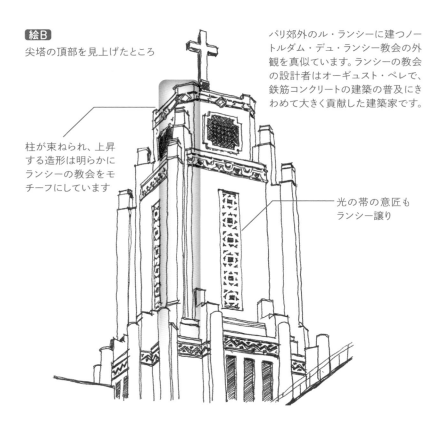

絵C

聖路加ガーデンタワー（第３街区）
47階建てと38階建てからなるツインタワーです。
ここに見えているのは47階建てのほうです。
聖路加国際病院（第２街区）
トイスラー記念館
（第１街区）

聖路加国際病院旧館玄関前から、
トイスラー記念館方向を望む

絵D
礼拝堂内部の雰囲気

全体の意匠はネオゴシック様式です。リブ・ヴォールトが柱からすくっと伸びて天井の頂部に達しています。
天井や壁の主要な部分には、貴重な「抗火石」が使われています
ゴシック建築を特徴づけるリブ・ヴォールト
側廊の天井のリブ・ヴォールトも、飾りは見事です

治33年）にこの地を踏み、１９０２年に聖路加国際病院を創設したのが、礼拝堂のはじまりです。その病院は、中央病棟と看護学校とともに礼拝堂も加わった複合施設として建設されたのですが、ドクター・トイスラーの掲げる理念が強く反映されています。それは「医療は高度の看護教育と厚い信仰により成ることを理想とする」というものです。

現在の礼拝堂は当初、アントニン・レーモンドとベドジフ・フォイエルシュタイン、ヤン・ヨセフ・スワガーの3人の建築家に設計が依頼されました。いずれもチェコ人です。提案された案はモダンすぎて無装飾だったためか評判が悪かったようで、レーモンドは、躯体工事が完成する直前のころに、退陣を余儀なくされます。

やすらぎを求める建築を病院側が求めた背景を考えると、無装飾ゆえの殺風景な空間の提案に対して、否定的な意見が出された事情は理解できなくもありません。そのあとを引き継いだJ・V・W・バーガミニーにとって、幸い、礼拝堂工事が延期になっていました。まったくの白紙状態からではないものの、ある程度の構造の見直しも含めて、基本設計の段階から設計できることとなったのです。今日見ることのできる礼拝堂は、したがって一般的にはJ・V・W・バーガミニーの設計と言ってよいでしょう。当初案にくらべれば、より装飾性の強い案として実現したのです。

工事延期の事情もあり、病院は１９３３年に完成していますが、礼拝堂はそれから3年後に完成しています。１９３６年に完成した礼拝堂は、入院患者さんの精神的な支えになっていたといわれています。

絵Dは、礼拝堂の身廊から天井を見上げています。垂直性の強い柱列からリブ・ヴォールト（天井の様式の一つで、ヴォールトとは、アーチを平行に押し出した形状を特徴とする様式や構造の総称）が天井に向かうさまは、西洋の中世のゴシック聖堂を思わせます。

礼拝堂を南北方面に切った断面が絵Eです。左方面のエントランスから入る1階の中央ホールと、礼拝堂の入り口の2階ホールとは同じ床レベルではありません。1階から2階へと、巧みな空間処理と階段によって、誘導されます。この礼拝堂を独特な存在にしているのは、「多層会衆席」です。3階から6階にかけて、病院の各階のフロアからバルコニーを通じてそのまま礼拝ができるようになっていました。

　この礼拝堂の誕生のいきさつや完成した建物の姿をつぶさに観察すればするほど、私は施主であるドクター・トイスラーの存在がいかに大きかったかを肌で感じます。それは、建物のあるべき理念からはじまり、機能構成や平面計画、さらに具体的なイメージにまで踏み込んだ発言が、施主から建築家に向けてだされたであろうと類推されるからです。建築家にとっては、やりにくい施主だったといえるかもしれません。完成した礼拝堂を見ると、そういう葛藤などを克服した、すばらしい祈りの場が生み出されています。とするならば、施主と建築家のコラボレーションのたまものとして大いに評価すべきでしょう。

　礼拝堂に関連する室内空間などで、床のパターンやなにげないレリーフ、あるいは照明器具などに、思わずうなりたくなるようなメッ

リブ・ヴォールトが天井を支える意匠です。

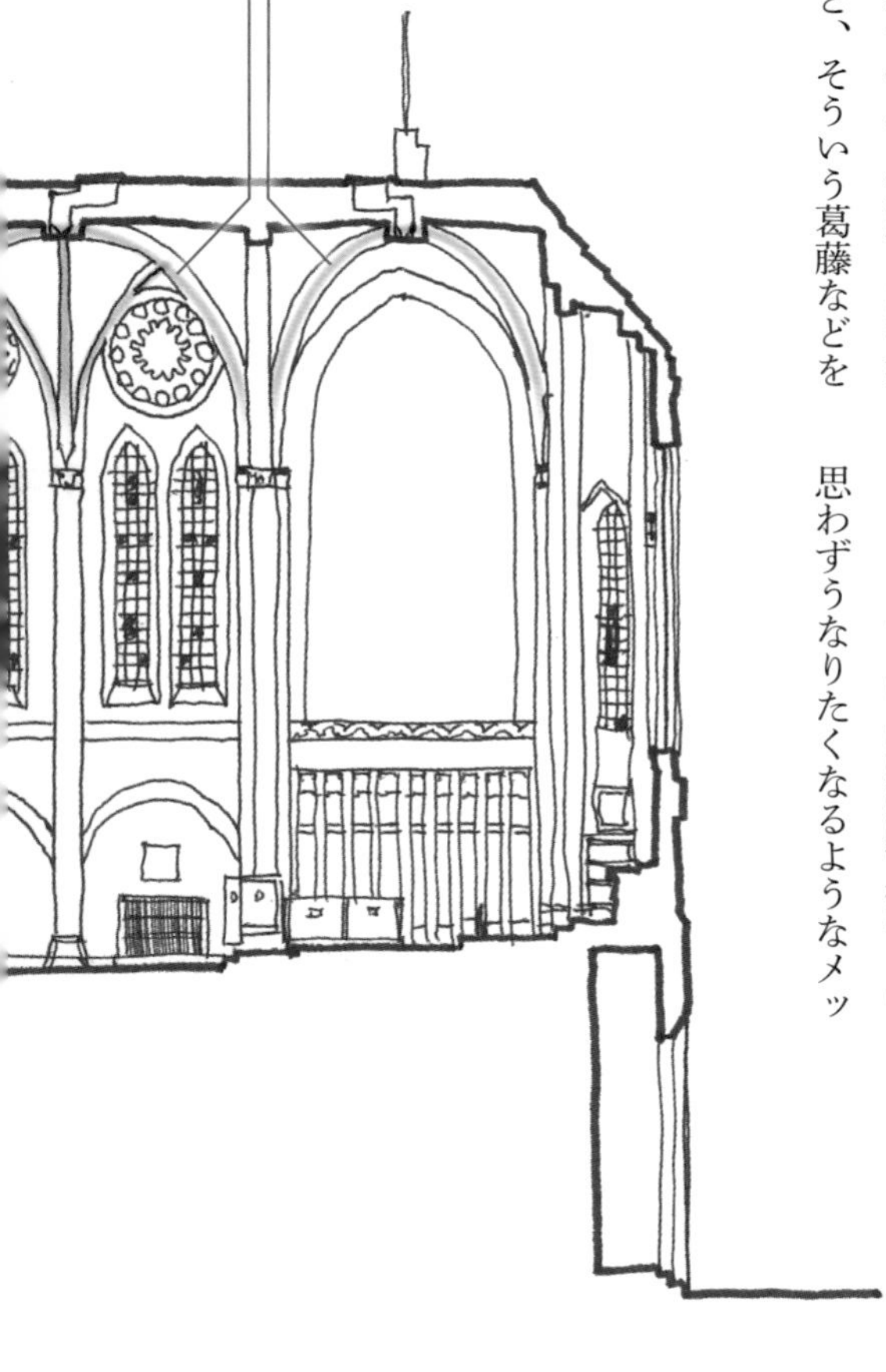

セージが込められた細部意匠も少なくありません。紙面の都合で詳しくは紹介できませんが、１つだけ、１階中央ホールの柱に取り付けられています照明器具。その影絵のような光の題材は、孔雀が羽を広げた模様です。私は思わず足を止めて、柱のたもとで見入ってしまいました。すばらしい、の一言です。見どころが多い建築であると申せましょう。

なお、この絵で右側に道路面が、断面として見えています。この道路は敷地内道路ではなく、公道です。ということは、敷地北側の公道からは、礼拝堂の祭壇の後ろ部分の外観をじかに見ることができます。

絵E

礼拝堂の南北軸断面です（右方向が北）

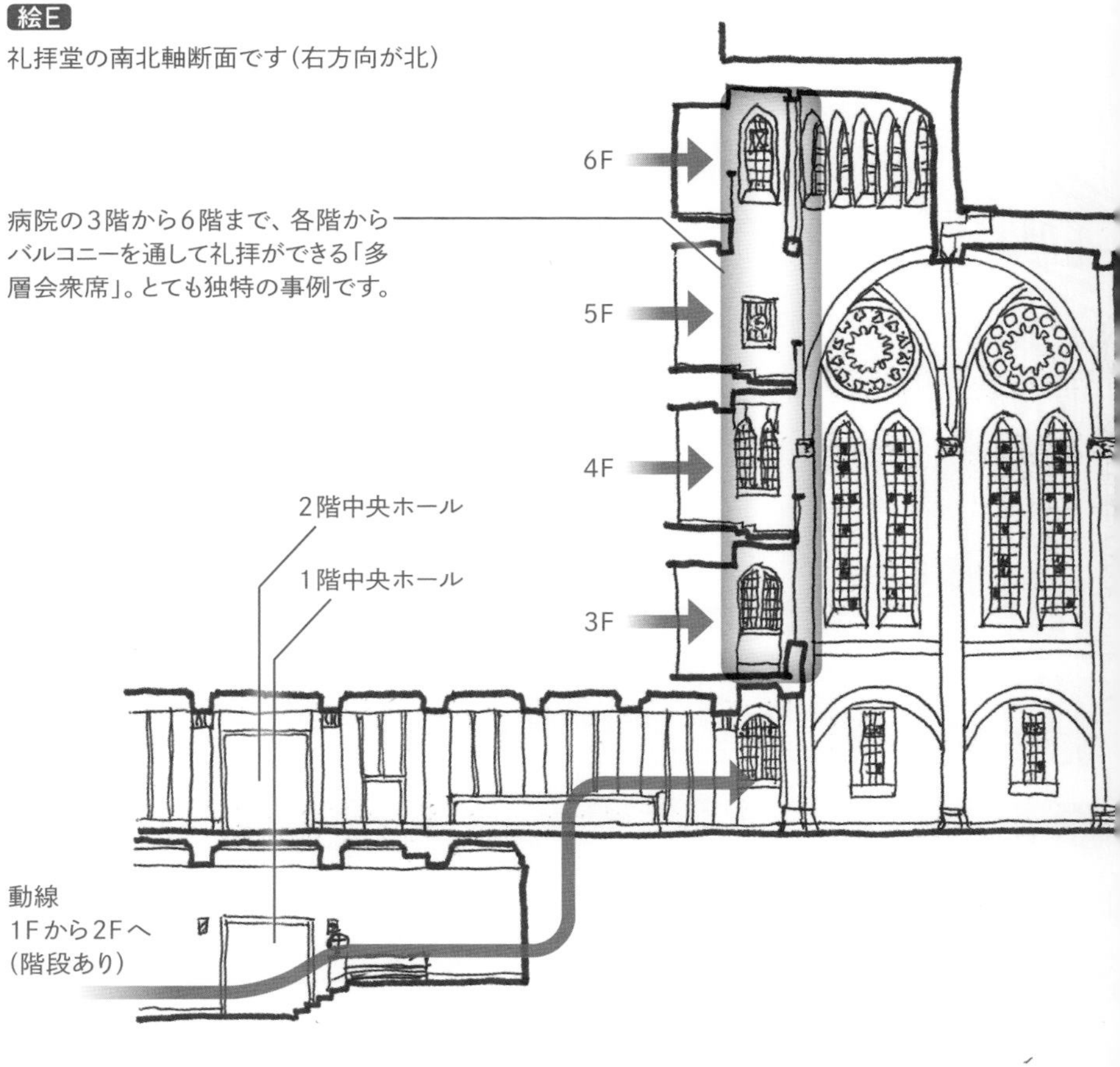
6F
5F
4F
3F
病院の3階から6階まで、各階からバルコニーを通して礼拝ができる「多層会衆席」。とても独特の事例です。
2階中央ホール
1階中央ホール
動線
1Fから2Fへ
（階段あり）

和光本館 | 07

所在地：東京都中央区銀座4-5-11
最寄駅：東京メトロ「銀座」
設計者：渡辺仁
竣工：1932年6月10日

絵A
全体としてはネオ・
ルネサンス様式

銀座の顔と呼ばれる建物

　いまでは、銀座4丁目の交差点に建つ、銀座の顔、もっといえば東京の繁華街の象徴としてさまざまなメディアに登場します。正式名称は銀座和光本館で、ネオ・ルネサンス様式です。1932年（昭和7年）に竣工していますから、すでに90年近く経過しています。創業は時計と宝飾の専門店ですので、屋上に時計台が時を告げます。交差点に建つこの時計塔には、東西南北にそれぞれ大時計が設置されていますから、どこからも時刻を知ることができたわけです。この時計台の配置ですが、厳格に東西南北を示しています。

　現在の和光本店ビルが完成する前、1894年に高さ16mで巨大な時計塔を頂く建物が同じ場所に建ちました。時計塔の誕生は、このときに始まります。1923年の関東大震災で被災したことが建て替えの契機なのですが、時計店の本店の再建まで年数を要しました。工場の再建を優先させ、木造2階建ての仮店舗での営業が長かったためです。

　絵Bに説明を入れていますが、当時、銀座地区では建物の高さ制限が設けられており、高さ100尺（30・3m）。また時計塔にもそれとは別に高さ30尺（9・1m）の制限がかかっていました。服部時計店の創業者である服部金太郎は、高さ制限の限度いっぱいの高さをもつ建物を耐震耐火建築で作ったのです。それが現在、みることのできる和光本店なのです。

　ビルが竣工した前後の外観写真が「精工舎史話」に掲載されています。その写真をもとに絵Bは描

いていますが、通りに並ぶ商店の多くは当時、2階建てでした。その中で地上7階建ての建物ができたのですから、まさに記念碑のような存在だったはずです。ビルの5階(絵で示したあたり)で執務されていたようですから、窓からの眺望は、さえぎるものがなく、晴海方面まで見渡せたに違いありません。

なお、この目立つ建物は、戦後、占領軍が接収しPX(post exchange;売店)として使われました。返還されたのは1952年です。

外観をじっくり見てみましょう

このシンボリックな建物の設計者は渡《わた》辺《なべ》仁《じん》(1887－1973)

絵B　1932年ころ(竣工直後)の服部時計店の外観を、「精工舎史話」の写真をもとに描いています。当時、銀座4丁目交差点には路面電車が本通線と築地線、クロスするように運行していました。架線が何本も通っており、そのまま描くとやや目立ちすぎるため、描く線を減らして描いています。

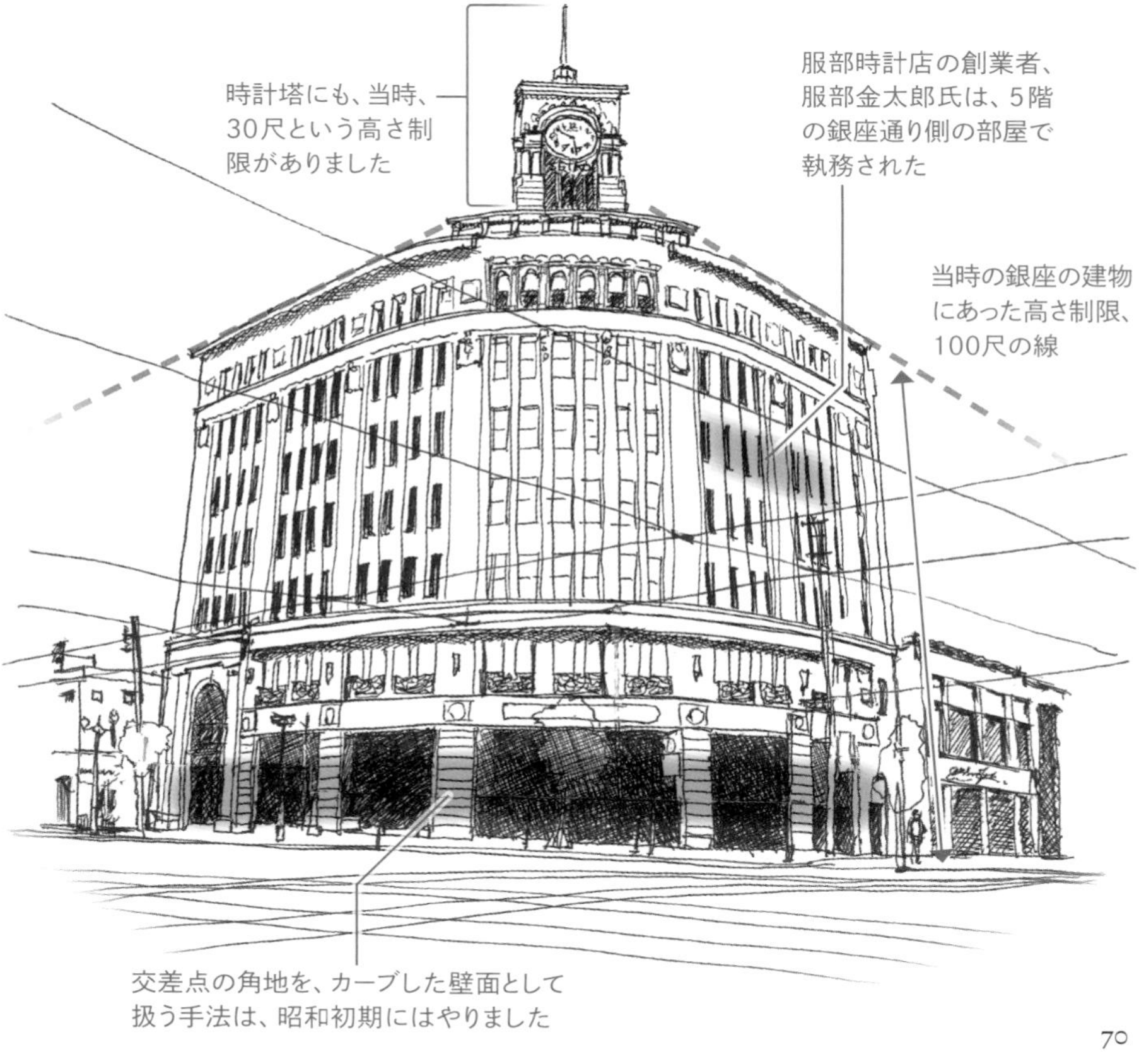

時計塔にも、当時、30尺という高さ制限がありました
服部時計店の創業者、服部金太郎氏は、5階の銀座通り側の部屋で執務された
当時の銀座の建物にあった高さ制限、100尺の線
交差点の角地を、カーブした壁面として扱う手法は、昭和初期にはやりました

で、上野の国立博物館の本館や、本書でも紹介している旧第一生命保険本社ビルも彼の設計です。同じ建築家の設計とは思えないほど、意匠表現に違いがあります。その意味は、実に多様な様式を自在に駆使できた建築家だったことの証です。

銀座4丁目交差点という、繁華街の中心地に建つ商業ビルとして、おおらかな曲面で外観を形成する手法が採用されています。設計者のオリジナルということではなく、この時代(1920年から30年代)に、建物のコーナーを曲線で扱うことは大流行でした。丸の内ビルディングもそうですし、大阪ガスビルディングもそうです。

絵C

柱頭にイオニア式渦巻き模様をあしらった列柱とアーチの連続する意匠も秀逸ですが、鑑賞するには双眼鏡が必要かもしれません
リズミカルで緻密な装飾が華やかさを演出しています
縦長の窓の連続表現もみごと
地上からは細部が見えにくいですが、6階外壁のメダリオン飾りも上品です
アイアングリルの手すりのデザインも巧み
銀座通り
晴海通り
粋な装飾レリーフ(左から順に)
1. 貴金属のカップ　2. 服部時計店の商号
3. 商業の神様にまつわる紋章
4. 服部時計店の商号　5. 砂時計　6. ダヨー(転鏡儀)

絵Cに示すように、銀座通りと晴海通りという、目抜き通りの交差点の立地条件を設計者は最大限に活用しました。外観は全体としてはネオ・ルネサンス様式ですが、石のテクスチャーへのこだわりとリズミカルな表現の多彩さをみるにつけ、アールデコ調とも言えます。通り行く人の目に入りやすい1階や2階の外装には、1階で、思いきった広いガラス(曲面)の採用とディスプレイ、2階のアイアングリルの手すりの連続性がお洒落な雰囲気を発信します。

もう少し、外観の装飾的な要素について説明を加えましょう。

絵Dに示すように、リズミカルでしかも緻密な装飾が華やかさを

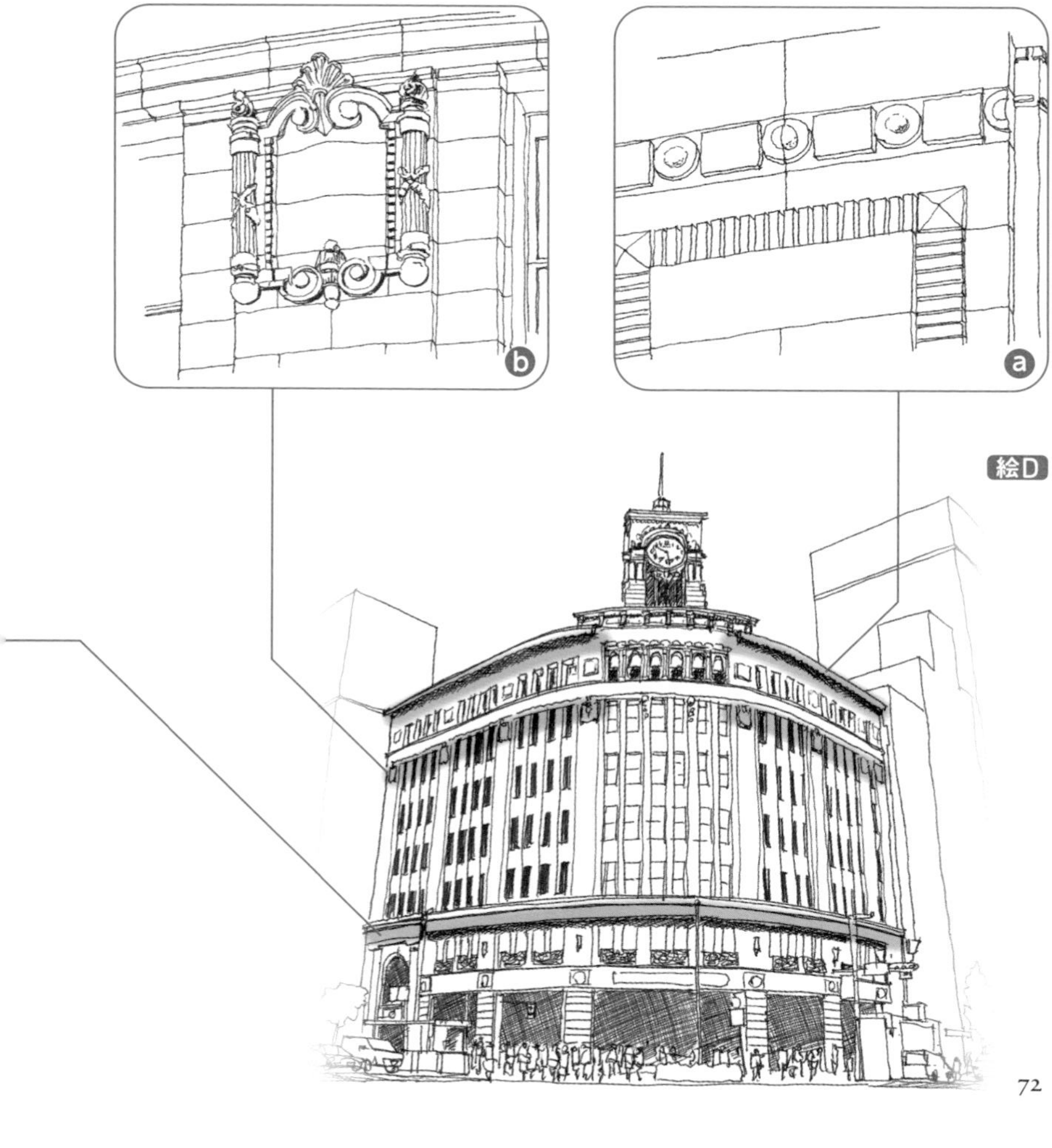

絵D

演出しています。地上に近いところでは、装飾レリーフを挙げることができます。

ⓐⓑⓒは連続するリリーフなどの立体模様のディテールを示します。これはごく一部で、こまやかなデザインが細部に行き渡っています。その結晶ともいえるのが時計塔です。絵Eに示すように、商業ビルとしての華やかさと品格を体現しています。設計者の力量ももちろんですが、服部金太郎や家族からのさまざまな意見が凝縮して反映されているようにみえます。決して建築家だけの発想から生まれた造形ではありません。

　時計塔について補足しますと、屋上に時計塔を置くスタイルは、

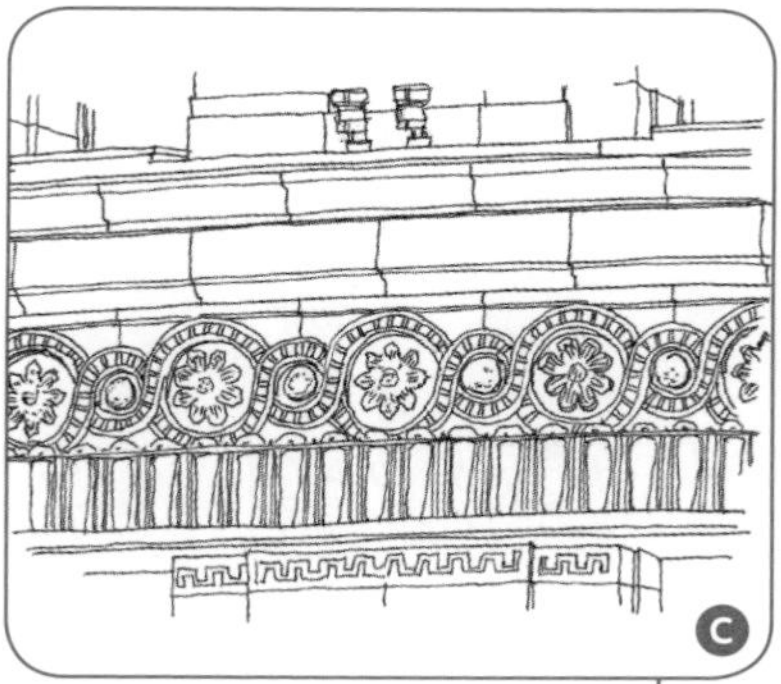

絵E
銀座のシンボルともなっている、和光の時計塔。古典的な美しさが随所に散りばめられています。

当時の流行でもありました。絵Fに示したのは、浅草の東武浅草駅ビルの外観です。２０１２年の外観のリニューアルによって、昭和初期の姿がよみがえったのですが、交差点の反対側からみると時計塔がそびえています。

和光本店ビルのさりげない品の良さは、たとえば西側のエントランスにも表れています。晴海通りの反対側の歩道から眺めた絵が、絵Gです。柱とアーチからなる各要素のプロポーションの美しいこと。ガラス面から室内に入る光の効果や演出もよく考えられています。このように、濃密な細部意匠とテクスチャーに彩られた建築を私たちは楽しむことができるのです。

絵F 東武浅草駅ビル

昭和初期のネオ・ルネサンス様式の大規模建築が、2012年のリニューアルにより、よみがえっています。

屋上に時計塔を置くスタイルが、当時の流行だったことを如実に示します
EKIMISE

絵G

晴海通りに面する玄関のしつらえ。各種のストリートファーニチャーが歩道に設置されていますが、建物の外観を描画することを優先し、一部省いています。

東京ジャーミイ ｜ 08

所在地：東京都渋谷区大山町1-19
最寄駅：小田急線／東京メトロ「代々木上原」
設計者：鹿島建設+ハッレム・ヒリミ・シェナルプ
竣工：2000年6月30日

絵A
礼拝堂への、2階にある入り口

日本最大のイスラム教モスク

正式には、「東京ジャーミイ・トルコ文化センター」といいますが、2000年に竣工した建物です。イスラム教徒の礼拝所としては日本最大のイスラム教モスクです。今の建物は2代目で、同じ代々木上原の敷地には、1935年に「東京回教礼拝堂」が日本政府の協力もあり、トルコ系民族のタタール人（イスラム教徒）で東京に住み着いた人たちによって建てられました。イスラム教徒の礼拝所として長く親しまれてきた建物でしたが、老朽化により解体され、トルコ全土からの寄付金をもとに建てられたのが現在の礼拝堂です。

もとはといえば1917年のロシアの社会主義革命で、ロシアに住んでいた、トルコ系民族のタタール人が迫害を避けるために、シベリアや満州を経て、日本へ移住したのがはじまりです。

建築について

東京ジャーミイの設計・施工は鹿島建設ですが、基本設計はトルコ人の建築家ハッレム・ヒリミ・シェナルプが共同設計者です。オスマントルコの建築様式を踏襲し、建物の2階に礼拝堂を設け、1階には広間やトルコの美術品の展示

絵B
礼拝堂内部は緻密な
幾何学模様やカリグラ
フィが色あざやかです。
大きなドームのまわりに6つの半ドームが囲んで
います(これは比較的めずらしい様式)。
それぞれ
メッセージ
をあらわす
カリグラフィ
アラベスク模様
ステンドグラスもじつに美しい

コーナーとなっています。装飾タイルの作品例も展示してあります。トルコブルー色のタイルの色は見事です。トルコの多彩な文化を肌で感じることができます。また、2階の礼拝堂には最大で2000人が収容でき、日本では最大級のモスクです。

建物の内外装には、100人近いトルコの伝統職人が来日し、カリグラフィ、イスラミックタイル、石材・石膏彫刻、木製彫刻などで、伝統的なトルコ・イスラム芸術を代表する意匠が、濃密な空間を生み出しています。また、内装や外装の主要な建設資材もトルコから調達されています。

そうした各分野の融合した姿が2階の礼拝堂なのです。これは実際にその場の空間体験により理解できることかもしれません。すばらしい聖堂です。絵Bをご覧ください。イスラムのドームは一般的には、正八角形の壁体《へきたい》に架けられますが、東京ジャーミイの礼拝堂のドームは正六角形で、珍しいです。

この礼拝堂へ入る入り口の様子が先ほどの絵Aです。縞模様が織りなす連続アーチがとても映えます。

最寄り駅の代々木上原駅を降り、井の頭通りに出て西方向に歩いていくと、白く高い尖塔が飛び込んできます。非常にわかりやすいランドマークです。絵Cは、井の頭通りで逆の方向から見ています。

絵C

礼拝堂のドーム
尖塔が目印となります
井の頭通り
1階にトルコ文化
センターがあります

池上本門寺 09

所在地：東京都大田区池上1-1-1
最寄駅：東急池上線／池上駅
開基：池上宗仲
創建：1282年（弘安5年）
五重塔竣工：1607年（慶長12年）

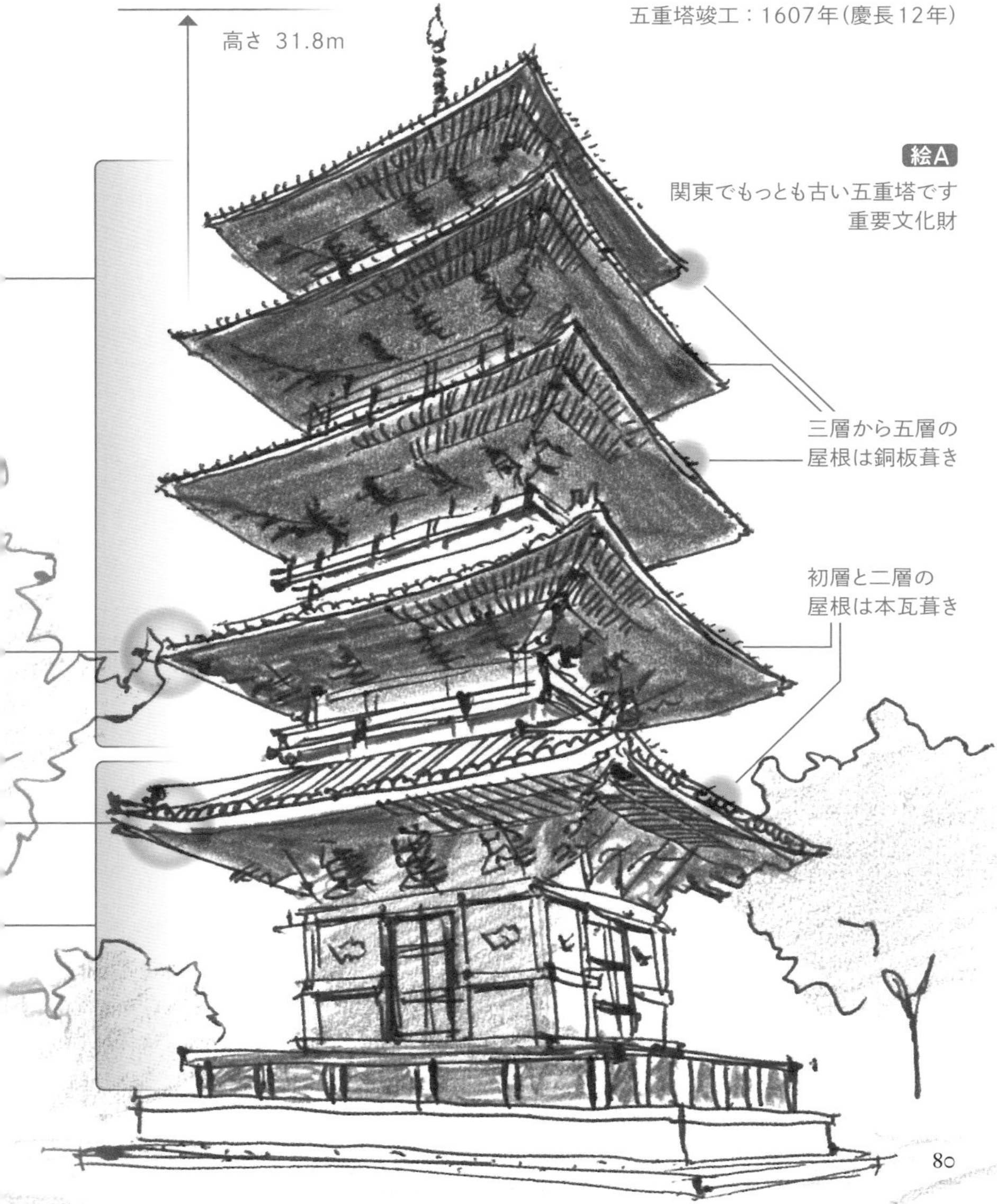

高さ 31.8m
絵A
関東でもっとも古い五重塔です
重要文化財
三層から五層の
屋根は銅板葺き
初層と二層の
屋根は本瓦葺き

伽藍の経緯

日蓮宗の大本山、池上本門寺《いけがみほんもんじ》。日蓮上人が入滅された池上の地で、その土地の郷主である池上宗仲《むねなか》が約7万坪の土地を寄進したのが、本門寺の基礎となりました。江戸時代には徳川家の保護を受け、明治以降、参拝客も多く、栄えました。東急池上線が開通したのは、蒲田から池上まで参拝客を運ぶためともいわれています。

第二次大戦の空襲で、残念なことに多くの伽藍が失われたのです。現在は大堂をはじめ諸堂が再建されていますが、江戸期の建造物は、五重塔、総門、経蔵《きょうぞう》、宝塔《ほうとう》の4棟に限られます。

重要文化財の五重塔

関東最古とされる五重塔の説明をしましょう。この五重塔は二代将軍、徳川秀忠が建立寄進したもので、1607年（慶長12年）建造です。東京都内の五重塔で国宝に指定されているものはありません。重要文化財に指定されているのは、池上本門寺の五重塔と、旧寛永寺五重塔の2つのみです。後者は寛永年間の1639年（寛永16年）に建造されていますから、東京都で本五重塔は最古になります。もう少し加えると、関東まで広げても、日光東照宮の五重塔（これも重要文化財です）など2件の五重塔がありますが、いずれも、池上本門寺の五重塔よりも後世の建造です。したがって関東最古です。

二層から五層までは唐様（からよう）
和様と唐様の違いを見分けやすいのは、軒下の垂木（たるき）の意匠。和様（初層）では垂木は平行ですが、唐様（二層から上）では垂木は放射状です
初層のみ和様

浅草寺の五重塔はよく知られています。あるいは本書でもとりあげている高幡不動尊の美しい五重塔は、外観は木造の意匠をよく模していますが、構造は鉄筋コンクリート構造で、まったくの別物です。

境内で五重塔を見上げた様子が絵Aです。建立当初は、現在の位置ではなく大堂の前にあったのですが、１７０２年（元禄15年）に今の位置に移築された経緯があります。

絵Aで、屋根を葺《ふ》く材料が、二層までは本瓦葺きで、三層から上は銅板葺き、となっています。すべて本瓦葺きでないのはなぜか、と思われる方もいますね。多くの五重塔では、確かに同じ素材で一層目から五層目まで屋根を葺いています。池上本門寺の場合、屋根荷重を軽減する目的から三層以上を銅板葺きにしたと考えられます。

部位の名称、五重塔の基本知識

国宝や重要文化財の五重塔における差異をご存じの方は少ないかもしれません。基本知識として、絵Bⓐ・ⓑで説明してみます。部位の名称も知っていると役立つものです。あまり深くは入りませんが、池上本門寺の五重塔の基本知識をざっと理解できるはずです。軒の出を一層から五層まで結んでみると、ある勾配をもつ直線が得られます。時代が下がるほど、垂直に近くなります。

屋根の勾配は、一般に五層目の屋根のみが、ほかの4つの層よりも急になっています。

絵Bⓑで、塔身を相輪《そうりん》と塔身《とうしん》の合計値で割ってみます。池上本門寺の五重塔は、ほかの五重塔と比べて高い数字になります。このことは、相輪が相対的に短いことを示します。また、五重の柱間を一重の柱間で割った数字を逓減率《ていげんりつ》といいますが、池上本門寺の五重塔は０・６７５と高い数字です。このことは、塔のプロポーションが、相対的にみて全体にスレンダーであることを示します。

ほかの五重塔を見て回る機会が増えると、それぞれの違いを実感できるようになります。拙著『世界

絵B a

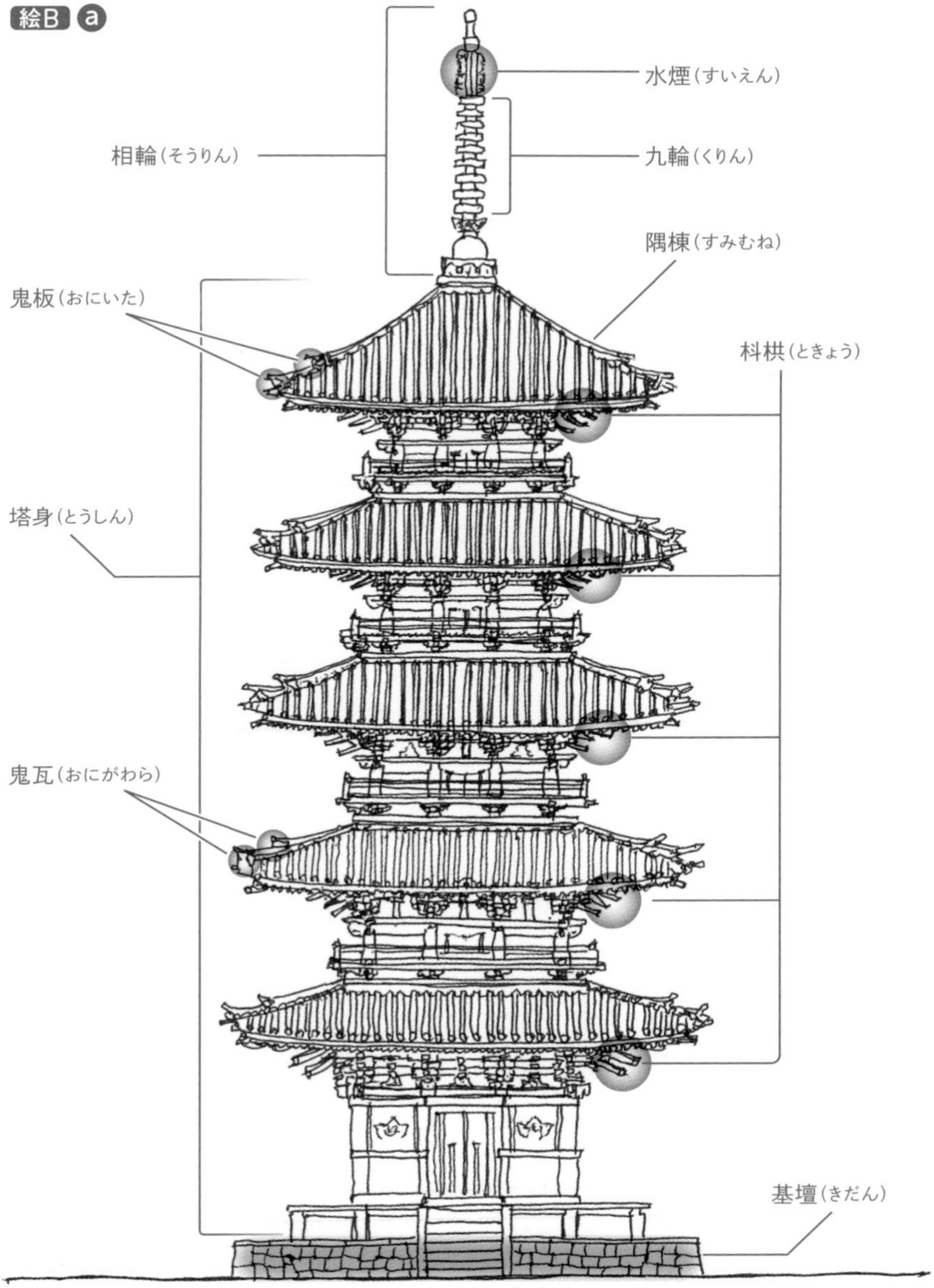
水煙（すいえん）
相輪（そうりん）
九輪（くりん）
隅棟（すみむね）
鬼板（おにいた）
斗栱（ときょう）
塔身（とうしん）
鬼瓦（おにがわら）
基壇（きだん）

遺産　法隆寺から学ぶ／すみずみまで楽しむ寺院の歩き方』（自由国民社）に、五重塔についての詳細な記述があります。参考にしてください。

総門をくぐって劇的な空間

五重塔の説明から入りましたが、池上本門寺に来られる方の多くは、東急池上線の池上駅で下車されるでしょう。標識に沿い、門前町の雰囲気を残す通りを抜けて、10分も歩けば境内入り口に着きます。総門をくぐって見える景色が絵Cです。階段幅は広いですが高低差があるため、なかなかの劇的空間といえます。

なぜ96段なのか、といいますと「法華経」見宝塔品《けんほうとうほん》の偈文《げもん》の文字数からきています。階段を上がりきると、広い敷地に出ます。正面にみえます大堂には、日蓮聖人尊像が堂内に安置されています（絵D）。経蔵も江戸時代の後期に再建されたものです。伽藍全体として、江戸時代から続く歴史的景観を味わうことができます。

絵B　b

屋根の勾配は、一般に五層目の屋根のみが、ほかの4つの層よりも急になっています
軒の出を一層から五層まで結んでみると、ある勾配をもつ直線が得られます。時代が下がるほど、垂直に近くなります

絵C

加藤清正が慶長年間に寄進したといわれる
「此経難持坂(しきょうなんじざか)」の光景です。

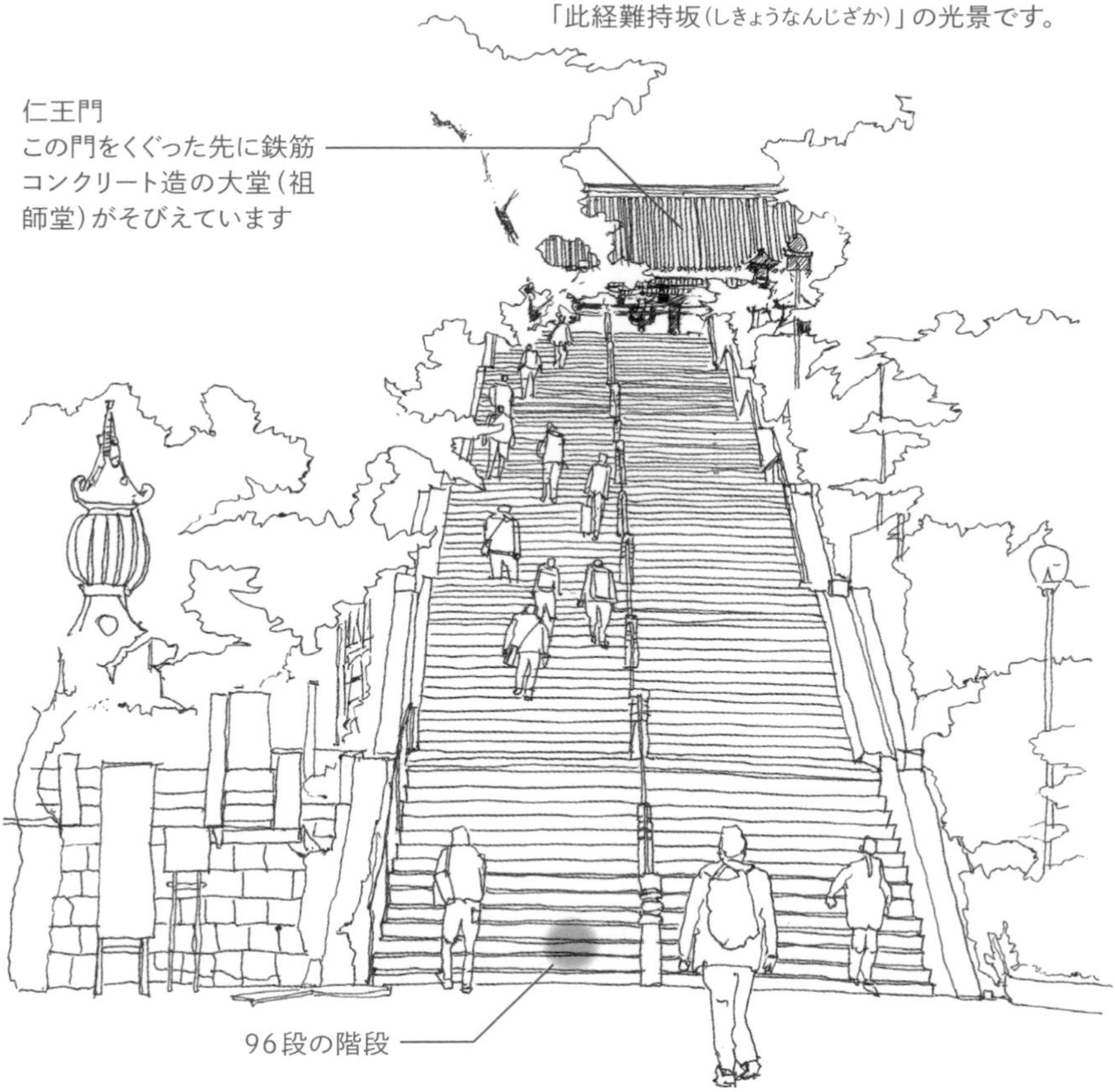
仁王門
この門をくぐった先に鉄筋
コンクリート造の大堂(祖
師堂)がそびえています
96段の階段

絵D

10 東京カテドラル聖マリア大聖堂

所在地：東京都文京区関口3丁目16-15
最寄駅：東京メトロ「江戸川橋」
設計者：丹下健三
竣工：1964年12月

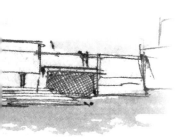

この大聖堂の名称が、東京カテドラル、であることからわかるように、カトリック東京大司教区の司教座聖堂で、東京を代表する大聖堂です。教区としては、東京だけでなく東日本のカトリックの教区を統括する教会管区でもあります。

文京区関口に最初の教会が建てられたのは１８９９年で、木造のゴシック様式でした。第二次大戦中に戦災で焼失し、長らく本格的な教会は再建されませんでした。日本へのカトリック再布教１００年事業の一環として、指名コンペにより１９６２年に丹下健三案が選ばれたのです。

ステンレスの屋根が垂直に建ち上がる

大聖堂の建物入口は、敷地の入口からは、ちょうど反対側（入口からはもっとも遠いところ）にあります。絵Aに示すように、類例のない、ステンレス製の屋根が垂直に近い角度で建ち上がります。そして白鳥が翼を広げたように、両サイドへも同じ材質の屋根が展開する様子が伺い知れます。

正面からは、建物の後方の様子は判別しにくいです。通常の建物では側面にあたる外観は、絵Bのようです。側面の絵からわかるように、このアングルからみると、この大聖堂は左右対称ではありません。右側の屋根の頂部が最も高くなっています。

この建築の立体形状について、もし建築模型が眼前に置かれれば容易に理解できるのですが、この独特の立体形状は、1階部分ではひし形の変形版ですが、頂部をとりだすとちょうど十字なのです。つまり、天空からこの建物を見下ろすことができれば、まさに十字架型にみえます。実によく考えられた独創的な案だったのです。

絵A

大聖堂、正面の外観

垂直に近い傾きでそびえるシェル構造

この案が建築家の通常の設計提案と大きく異なるのは、特殊な屋根形状とそれによって大空間を生み出す構造的な裏付けがしっかりなされている点です。ここに、丹下健三と構造設計家の坪井善勝のコラボレーションが切り開いた提案の凄さを知らされます。

絵C（90頁）をご覧ください。右側に建物入り口、左側に祭壇、という軸で描いた断面の絵です。これをなぜ見てほしいかというと、建物入り口では、パイプオルガンなどが設置されていますが、床から屋根の頂部まで26・7mもあり

絵B

大聖堂、側面の外観

ます。通常のマンションならば8階から9階建てに相当します。左側の、祭壇の背後の壁面では、外の地面から屋根の頂部までは実に39・4m。それだけの大空間なのに支える柱が1本も見あたりません。屋根とも壁ともつかないものが、垂直に近い傾きでそびえています。シェル構造の醍醐味です。

もともと、シェル構造が建築の大空間に使えるのではないかと期待され研究されてきた理由があります。厚みが薄い鉄筋コンクリートを使えば屋根（あるいは屋根及び壁）荷重を軽くでき、構造体全体の荷重軽減につながり、コストを大きく下げられる可能性があることです。

とくにコンクリートという建築材料は、引っ張り力には弱いですが、圧縮力にはとても強い。部材の応力で引っ張り力がゼロあるいは非常に小さいような構造であれば、とても薄いコンクリートの被膜のようなものでさえ屋根を覆えるわけです。小規模な建物ではじめて現実味を帯びますが。

HPシェル構造

さまざまなシェル構造がありますが、東京カテドラルで採用された構造はHPシェル構造です。イメージとしては、シェルは貝殻のことですから、軽く、そのくせ強固な殻にたとえて命名されています。曲面の薄板をシェル（あるいは外殻）に使った構造です。

その中でHPとは、双曲放物線面（Hyperbolic Paraboloidの頭文字からHP）。完全に数学の世界ですが、HPシェル構造＝双曲放物線シェル構造、です。

東京カテドラルを上空から見た

としたら、絵Dです。鳥でもない限り、見る機会はほとんどないと思われます。もし真上から見下ろすと、無色透明のガラスの帯が生み出すトップライトはまさしく十字架のカタチになります。もし、それが夜間であれば、実に美しい光る十字架が認められるでしょう。異彩を放つ建築とは、こういうものをいうのでしょうね。

ほかの建築作品では、構造の内容をあまり詳しく紹介しませんが、この建物については、構造抜きでは片手落ちです。もうすこし付き合ってください。なるべく簡潔に説明します。

絵Dで、ＨＰシェルの一つの単位を、エントランス側のもので表示しています。左右対称形なので、同じ種類のものは2つでセットになります。屋根全体ではＨＰシェルは8枚で構成されていますね。

１枚のＨＰシェルの面積が非常に大きいため、シェルの剛性を高める必要があります。リブが実際には縦横に入っています。通常ならば室内側に設けるところなのですが、室内の意匠上の理由から、リブは外側の、ステンレス屋根側に設けられています。外部からは見つけられません。また、対になっているシェルには、足元で開こうとさせる力が働き、建物の安定性を脅かします。そこで、その力に拮抗するように、クロス・タイ

絵C

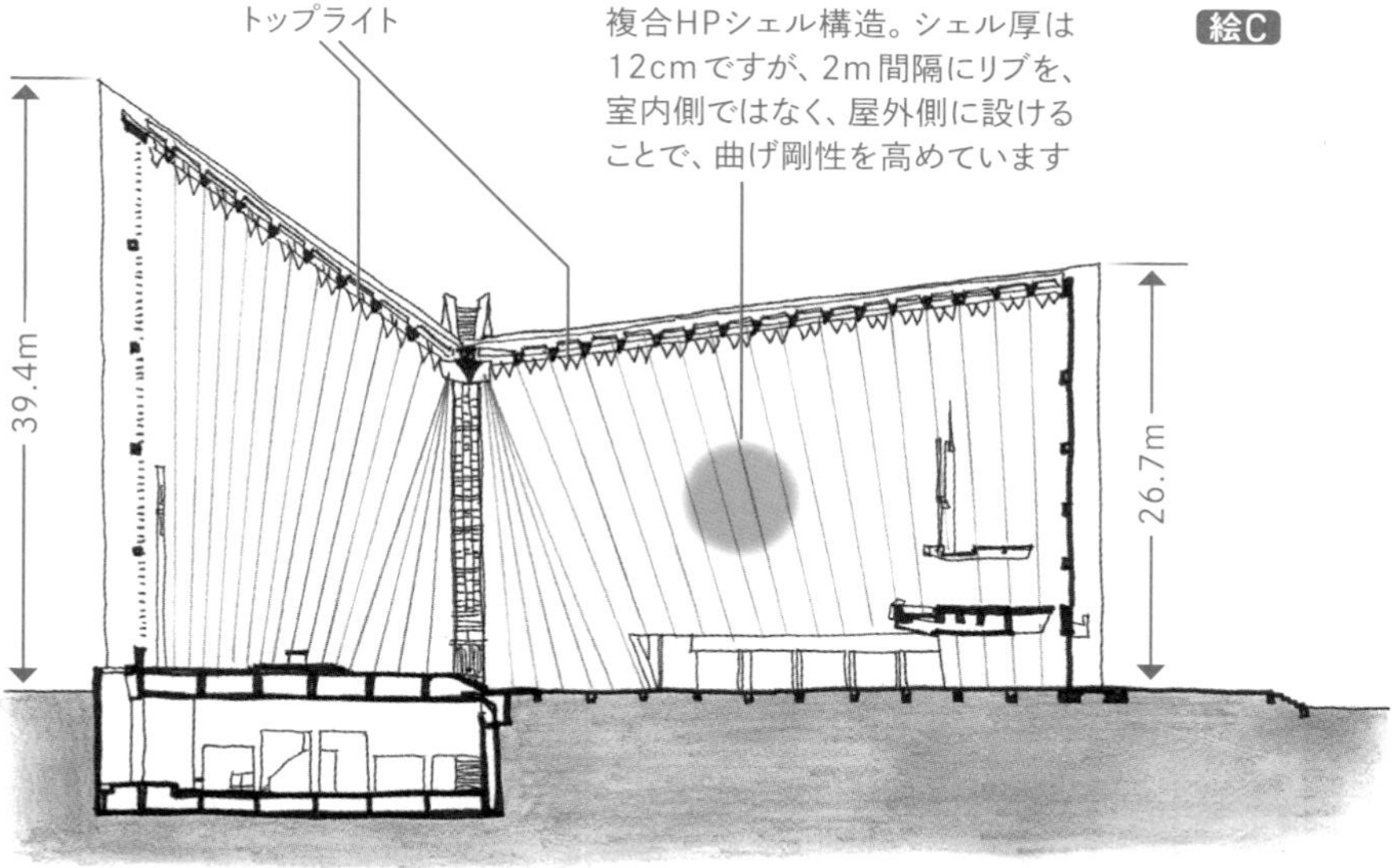

トップライト
複合HPシェル構造。シェル厚は12cmですが、2m間隔にリブを、室内側ではなく、屋外側に設けることで、曲げ剛性を高めています
39.4m
26.7m

絵D

＊上空から、見下ろしたと仮定し、東京カテドラルを、屋根の特徴がわかる範囲で描いてみました。エントランスにつながる低層部は、思いのほか陸屋根の形状が複雑で（上空からでなく、地上の、広場などから外観を眺める限りはあまり意識しません）、そこは簡易に表現しています。

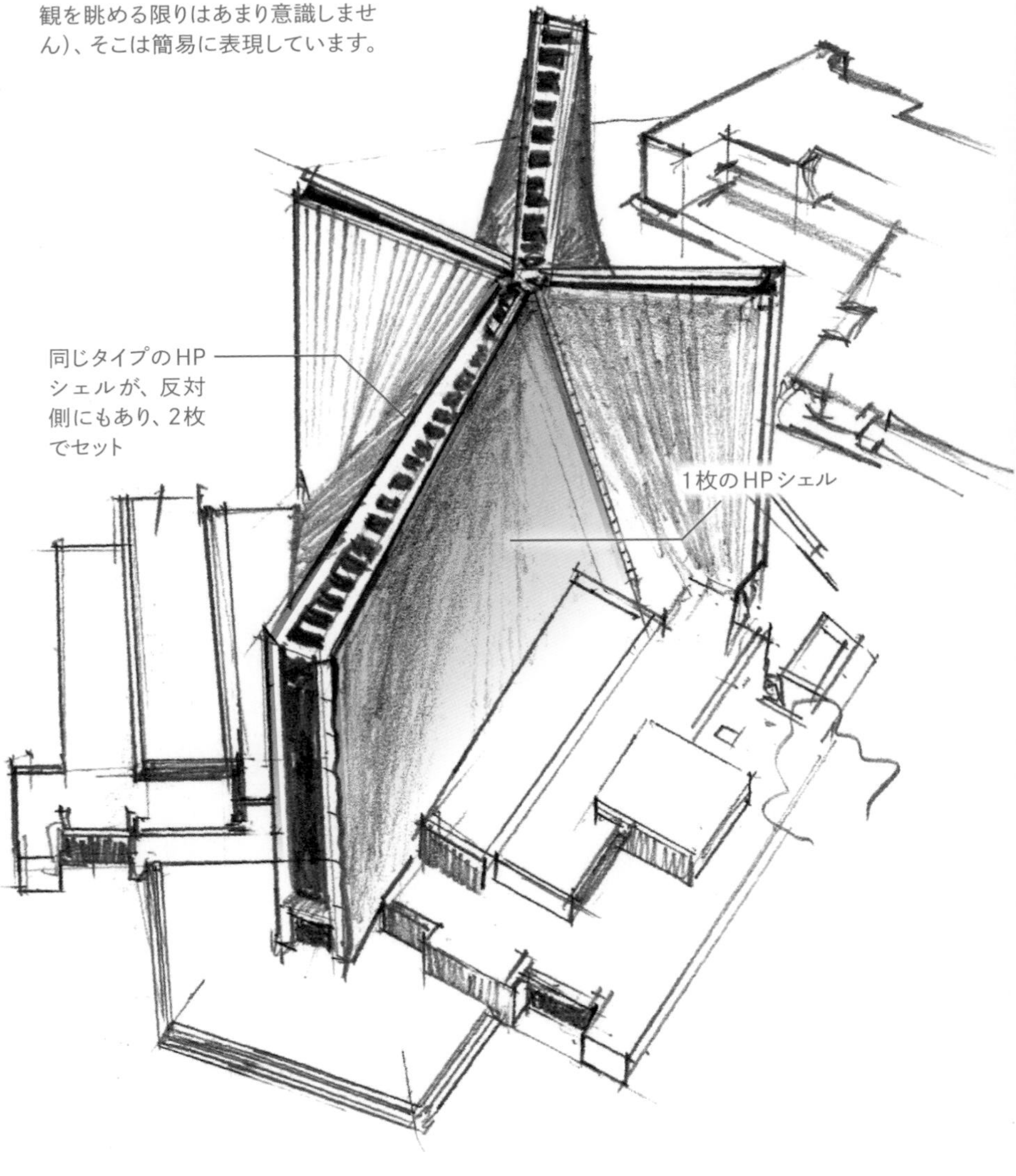

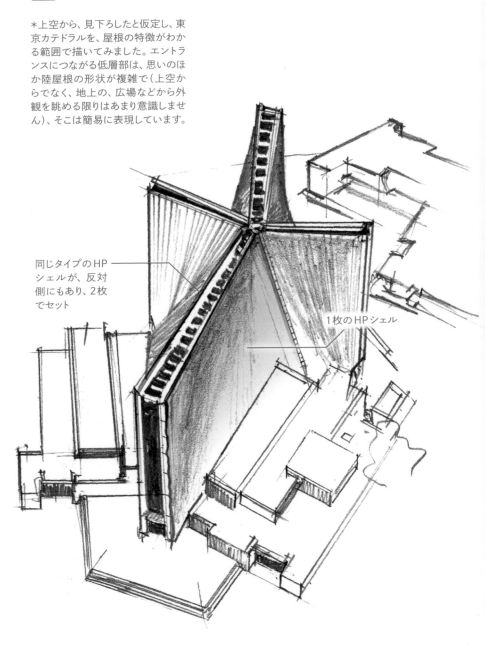

ビームが、地下に設けられているのです。

こうした手法は、純粋にHPシェルかといわれると、微妙に異なるわけです。しかし、得られた、類を見ない大空間はHPシェルの考えなしには実現しえませんから、HPシェル構造であるといってよいでしょう。

このあたりの圧縮力と引っ張り力を均衡させる考えかたは、丹下健三と坪井善勝による、国立代々木競技場の構造設計にも共通しています。

手作り感を残す内部空間

外観と構造の話を続けたので、

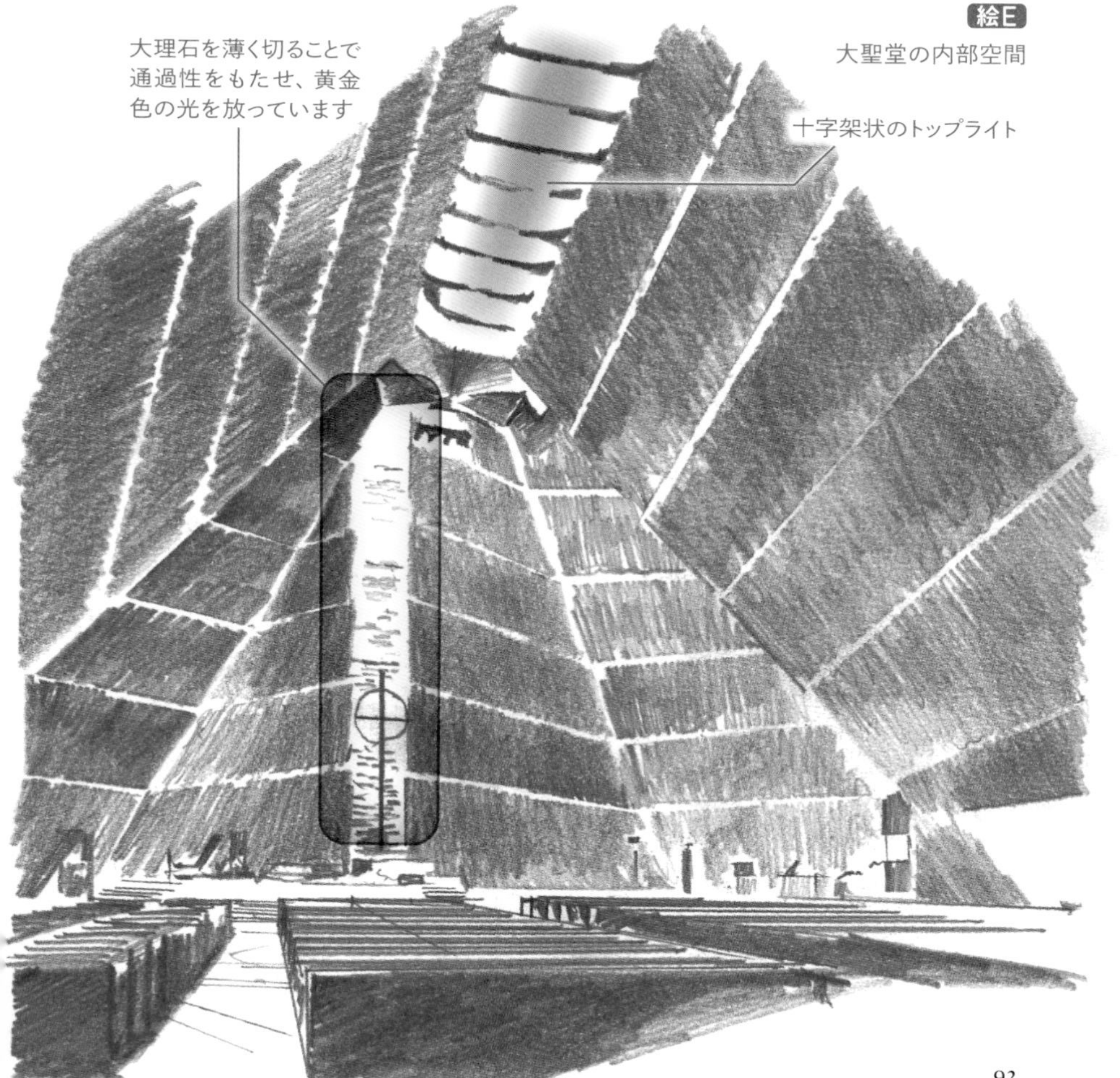
大理石を薄く切ることで通過性をもたせ、黄金色の光を放っています
十字架状のトップライト

絵E
大聖堂の内部空間

室内空間に目を向けます。絵Eでは、祭壇のほうに向かい、上方を眺めています。祭壇はほかよりも床が高くなっています。それでも、圧倒的な天井高さの前には床の高低差はあまり関係ありません。鉄筋コンクリートの打ち放しの壁が、可塑性を生かしてゆるやかな曲面を形成し、(近代建築でありつつも)どこか手作業の良さの痕跡、あるいは温かみを感じさせます。打ち継ぎの目地の線も意匠の重要な一部になっています。

見どころとしてはそのほかにもエントランス上部のパイプオルガン、地下の小聖堂、があります。鐘楼も高さが約61・7mで、放物面の外壁です。また敷地の最奥部には、ルルドの泉の洞窟の岩場が再現されています。

サン・ビセンテ・デ・パウル礼拝堂

シェル構造は、建築家の作品への意欲を掻き立てます。現代のさまざまな用途に応じた、多様な技術的可能性を有しているのがシェル構造です。HPシェル構造も例外ではありません。一つ、例を挙げましょう。東京カテドラルの建物規模にくらべると、はるかに小規模な事例ですが、メキシコ、メキシコシティに建つサン・ビセンテ・デ・パウル礼拝堂も、HPシェル構造では同じです。絵Fを参照ください。

絵F

サン・ビセンテ・デ・パウル礼拝堂のHPシェル構造

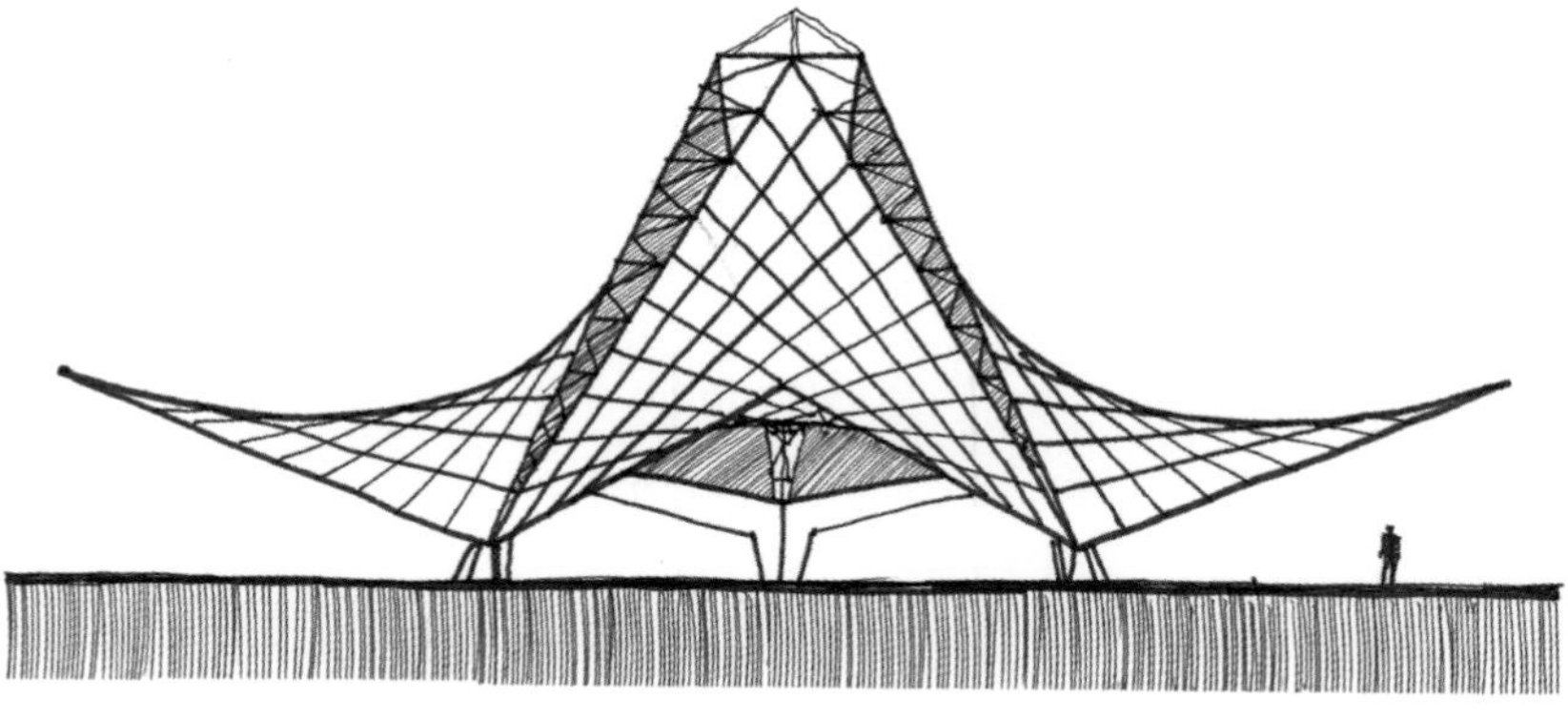

竣工は１９５９年（昭和34年）。建物高さは約13ｍ、屋根平面は１辺が約34ｍの正三角形を３枚のＨＰシェルで覆っています。外観、室内空間のいずれも、ＨＰシェル構造という共通性をもちますが、両者は異なります。それだけに潜在的な可能性が高く、モニュメンタルな造形に向いていることを直感します。

なお、サン・ビセンテ・デ・パウル礼拝堂の場合、それぞれのシェルが共有する稜線《りょうせん》は接合されていますから、構造的に安定しています。設計者はフェリックス・キャンデラ（１９１０―１９９７）です。

雨水排水と駐車スペースについて

２点だけ専門的な見地から、東京カテドラルの課題について言及しておきます。現地をご覧になる際の参考にしてください。地上からはわかりにくいのですが、十字形状のトップライトは、これだけの大屋根になるとトップライトといえども大きな面積を占めます。それが十字の中央部に向かって傾斜しています。雨水排水の原則からすると、逆方向なので、雨水排水計画をよく考えておかないと、中央部における漏水が気になります。空間造形としての魅力は十分に理解できますが、雨水排水への万全の配慮は欠かせません。管理運営上の重要点です。

私も何度か訪れていますが、広場のかなりの部分が駐車場に充てられていること、管理施設の近傍にもクルマが駐車していることなど、歩行者動線との錯綜が目につきます。大聖堂が竣工した１９６０年代にはクルマの普及も今日ほどではなかったゆえ、顕在化しなかった問題なのでしょう。今は、イベントの開催時などでは、広場をクルマが埋め尽くす状況になるものと思われます。景観的にも、また来訪者の安全のためにも、本来、広場として確保すべきゾーンの適正配置に向けて抜本的な工夫が必要です。

写真でなく、絵で描写し、解説すること

本書は、視覚情報をすべて絵で表現しています。写真を一枚も使っていません。さらに、絵といっても、風景スケッチのように、季節感や情感を伝えるのに適した表現も採用していません。線描そのものは、定規の線を使うことを避け、フリーハンド（手書き）の線で表現し、やわらかい表情の絵になるよう意識しました。私は、3分あるいは15分間で仕上げる即描スケッチの発案者であり提唱者でもありますが、そのスケッチ技法とは基本的に異なる表現を、本書のそれぞれの絵に使いました。その理由について簡単に説明しておきましょう。その狙いを整理してみました。

濃密な描写と簡略表現の組み合わせ

第一に基本的な取り組み方ですが、説明する主旨に照らして、特徴的な要素を視覚的にわかりやすくするため、それ以外のさまざまな要素を簡略表現しています。簡略表現は、省略（描かないこと）とは異なりますからご注意ください。高い表現技術が求められます。本書のどの絵にもあてはまる原則で、写真との大きな違いがまずそこにあります。

室内空間の解説に適した表現

第二に、特徴的な部位として壁面や開口部などの配置や比率などを、ゆがめることなく理解できるように、また、絵の中にコメントも正しく記入できるように工夫した絵にしています。赤坂離宮の室内などは、室内空間だけでなく調度品の意匠も含めた総合的な構成が見事です。床、壁、天井で、不合理でない範囲の室内空間を描き、コメントも入れています。もちろん、遠近法も適切に反映させています。

高さなどを正しく伝える絵

第三に、前記に関連しますが、建築の大きさを正しく描写する手法も随所に使っています。たとえばニコライ堂での絵Aがそうですが、主ドームと鐘楼との関係を示すため、両者の高さ関係が正しく伝わるような表現を選択しています。やや図面的な表現です（もちろん、一般的な図面ではありません）。この意図は、創建当初のニコライ堂では鐘楼のほうがはるかに高い建築物であったのが、倒壊後の修復の結果、私たちが現在見ることのできるニコライ堂では、両者の高さ関係が逆になっていることを力説したいためです。その目的に即した絵として表現したわけです。

断面でとらえる重要性

第四に、図面的な表現ですが、建物を切断して、断面で重要な点を説明する絵もいくつかあります。写真では不可能な表現の例だと思います。たとえば、聖ルカ礼拝堂の南北軸断面を示した絵。これは、病院の3階から6階のバルコニーが非常に珍しい形式なのですね。多層会衆席と呼ばれていますが、これは断面的な絵が、説明するのにふさわしいです。

独特の構造を絵の主題に

第五に、建築の構造的側面にも注意を払って描いています。国立代々木体育館では、絵Eに見られるように、独特の大空間を生み出した構造で、2本のメインケーブルが決定的な役割を果たしています。それが端的にわかるのが、アンカーブロックの設置場所近くからみた光景です。その点に絞って描いています。メインケーブル同士を一定間隔で結ぶ部材の生み出すリズムも建築物には珍しい造形で、強調して描いてみました。これなども、テーマを絞る表現の典型例です。

鉄骨構造の美しさの描画

第六に、時間をかけて描くに値する構図というものがあります。たとえば東京タワーを見上げた絵（絵A）をご覧ください。建設された当時は、鉄は非常に貴重で高価でした。手間をかけても相対的に、鉄の重量を減らすことで建設コストを抑えられたわけです。スレンダーな（細長い）部材の組み合わせの美しさが、タワーの足元から見上げると実によくわかります。そこで、緻密な描写に徹しました。非常に時間のかかる作業ですが、遠くからみたのではわからない、タワー建築の凄さが伝わるのではないでしょうか。これは絵のチカラだと思います。

青空に映える外観を考慮

第七に、目的に応じて、水彩着彩をした絵も用意しました。全体の中では少数です。たとえば東京カテドラルの絵Aや絵Bをご覧ください。建物自体は鉛筆などで描写していますが、空は水彩仕上げです。これは、外観を決定づける独特の屋根形状がステンレス製なのです。陽光の当たり具合によりますが、光り輝くとき、背景となる空は、曇り空よりも青空がふさわしいのです。そこで、雲もあってよいのですが、青空らしさを描写できる水彩着彩を選んだのです。

目地ひとつおろそかにしない

第八に、細部意匠にかかわる記述に関係した絵。そこでは、建築素材の積み上げに伴う目地や、素材そのものの大きさについても細心の注意を払う必要があります。たとえば、赤坂離宮の絵Eなどがそうです。目地についてはもちろんですが、石材のそれぞれの大きさがわかるように、縦目地も入れています。普通はそこまでしなくてもよいのでしょうが、石の割り付けが非常に美しいので、そこをわかっていただきたかったのです。

以上が、解説の手段として写真よりも絵を採用した理由でもあります。

建築の内外装の材質やテクスチャーの知識や、構造力学の知識をベースに、構図を選択し、ふさわしいアングルから描きおこしていますが、大前提となるのはもちろん、「絵になる」建物の魅力を伝えたいという本書の原点です。

迎賓館赤坂離宮　11

所在地：東京都港区元赤坂2－1－1
最寄駅：JR／東京メトロ「四谷」
設計者：片山東熊
竣工：1909年

壮大な美術工芸品

旧東宮御所、迎賓館赤坂離宮は、本書でとりあげている、ほかの建築と大きく異なる点があります。それは、建築、絵画、七宝、美術織物などの総力をあげた美術品であるということです。建物と室内装飾、椅子などの調度品のすべてが総合芸術として眼前に展開します。ここでは、建物だけでなく美術工芸など混然一体とした解説を試みます。

絵A－1は、迎賓館の主目的である国賓・公賓をもてなす場で、4つある部屋のうちの一つ「彩鸞《さいらん》の間」の室内です。床、壁、天井、調度品のすべてに美術工芸の最高水準の匠の技が見られます。

美術工芸の第一人者が結集

設計者であり、建設の総指揮者は片山東熊《かたやまとうくま》（１８５４－１９１７）ですが、室内装飾には洋画家の黒田清輝（１８６６－１９２４）や岡田三郎助（１８６９－１９３９）が当たっています。洋館用の油絵作成には洋画家の浅井忠（１８５６－１９０７）

絵A-1

が、孔雀花弁図などの制作には日本画家の今尾景年《いまおけいねん》（１８４５－１９２４）が、七宝下絵作成には荒木寛《あらきかん》畝《ぽ》（１８３０－１９１５）と日本画家の渡辺省亭《わたなべせいてい》（１８５１－１９１８）、七宝製作には並河靖之《なみかわやすゆき》（１８４５－１９２７）と濤川惣助《なみかわそうすけ》（１８４７－１９１０）など、当時のそうそうたる美術工芸家が結集したのです。この作品は、明治期における西洋建築の到達点といってよいでしょう。

旧赤坂御所の建設には、実に１０年もの年数を必要としました。１９００年以降の宮殿としては、世界でも最大規模といわれますし、今後もまず、この規模の宮殿は実現しないのではないか、そう思わせます。一方で、ネオ・バロックの建築ではありますが、随所に鎧《よろい》兜のレリーフや菊のご紋章などを見出せます。「和」の要素も融合されています。

皇太子の新居から改修され迎賓館へ

この建物は明治末期の１９０９年、当時の皇太子（後の大正天皇）のご結婚を祝し新居として建てられました。外壁は花崗岩。設計者は宮廷建築家の片山東熊。完成した東宮御所をご覧になった明治天皇は「ぜいたくだ」と漏らしたと言われます。ただ豪華絢爛の度合いが凄すぎたからかもしれませんし、当初予算が２５０万円（当時）であったのが、完成時には2倍以上に

絵B-1

跳ね上がったことが影響したのかもしれません。

　それで気が進まなかったのか、皇太子はほとんど住んではおられず、戦後の一時期は図書館として使用されたこともあります。政府が外国の賓客を迎える迎賓館として改修を決定し、１９７４年に竣工。その本館の改修は村野藤吾が担当しました。建築様式はネオ・バロック様式が基調で、ルイ16世様式などが加わっています。

　明治以降の近代建築として２００９年に、はじめて国宝に指定された建築でもあります。具体的には本館、正門、東西衛舎、主庭噴水池、主庭階段で、本館だけが国宝に指定されたわけではありません。

正門から中門、正面外観

　ＪＲ四谷駅を出て、四谷見附の交差点から、外堀通りに沿って南に進みます。Ｙ字の交差点で、公園を貫くまっすぐな道が確認できます。その道が、迎賓館の正面に至る道です。

　正門がみえてきます。この正門と両側の約１６０ｍに及ぶ鉄柵も、国宝です。正門の高さは約９・６ｍ。豪華絢爛をカタチにしたような堂々たる門です。上部に設置されているだ円形状の飾りからバロック様式とわかります。

　建設当初は、正門と鉄柵の両方とも、黒と金で塗られていました。


外壁のルスティカ（石材の凹凸を目立たせて積む技法）が１階を統一感のある表情にしています。

改修時に村野藤吾は、親しみのある白と金に塗り替えましたが、正解ですね。上品で気品があります。

その先の中門を通ると、広い前庭に出ます。25万個の舗石が敷かれています。そこから迎賓館の全貌を見ることができます。

絵B－1をご覧ください。

西洋宮殿建築の大原則は左右対称性です。旧東宮御所においても、しっかり守られています。ちょうど、鳥が翼を広げたような配置です。また2階建ての1階部分の外壁は、原則としてルスティカという技法で外壁が形成されています。

この建物のお手本となった西洋建築としてしばしば取り上げられるのが、正面側のファサードに影

絵B－2

鎧《よろい》の武士像。東のは口が「あ」、西のは「うん」です。

正面（北面）外観はネオ・バロック様式
外壁は茨城県の花崗岩が使用されています（大量に必要になったため、条件にかなう石材として選定されました）。

西玄関
（皇太子妃専用）

響を与えた建築としてウィーンのノイエ・ホーフブルク宮殿、南側の主庭を望む外観にはパリのルーブル宮殿東ファサードです。前者は、ファサードが鳥の両翼を広げた形態の類似性を強く感じますし、後者は、建築家クロード・ペロー（1613－1688）の設計で、ヨーロッパ屈指の古典主義建築とされています。お手本にふさわしい参考例といえますね。

次に絵B－2をご覧ください。外観を決定している素材は高価な花崗岩ですが、茨城県産です。また、全体の建築様式はネオ・バロック様式ですが、たとえば東西の玄関の庇は、アール・ヌーボー調です。正面玄関には、上部に菊の

天球儀と
4羽の鳳凰
中央には菊の御紋
扉には桐の紋が使われています。
正面玄関及びホール
（国賓の接遇）

アール・ヌーボー調の庇
（東西にそれぞれあり）
東玄関（皇太子専用）

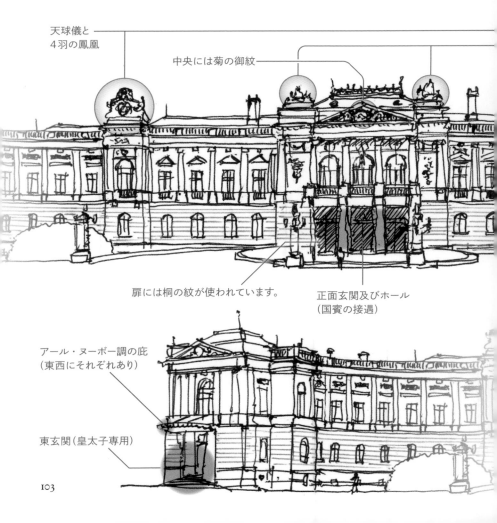

御紋が描かれていますし、扉には桐の紋が使われています。なお、東玄関は皇太子専用で、西玄関は皇太子妃専用です。両者は100mほど離れています。

2階の大ホール、4つの主要な部屋

迎賓館は2階建てですが、もっと高いように感じます。それは階高が高いためです。国賓などの引見・接遇などの公式の部屋は、2階にあります。車寄せから入ると、2階へ上がる大階段がみえてきます。上がった先に2階大ホール、そして4つの主要な部屋が設けられています。絵Cにざっとの配置を示しました。

絵C

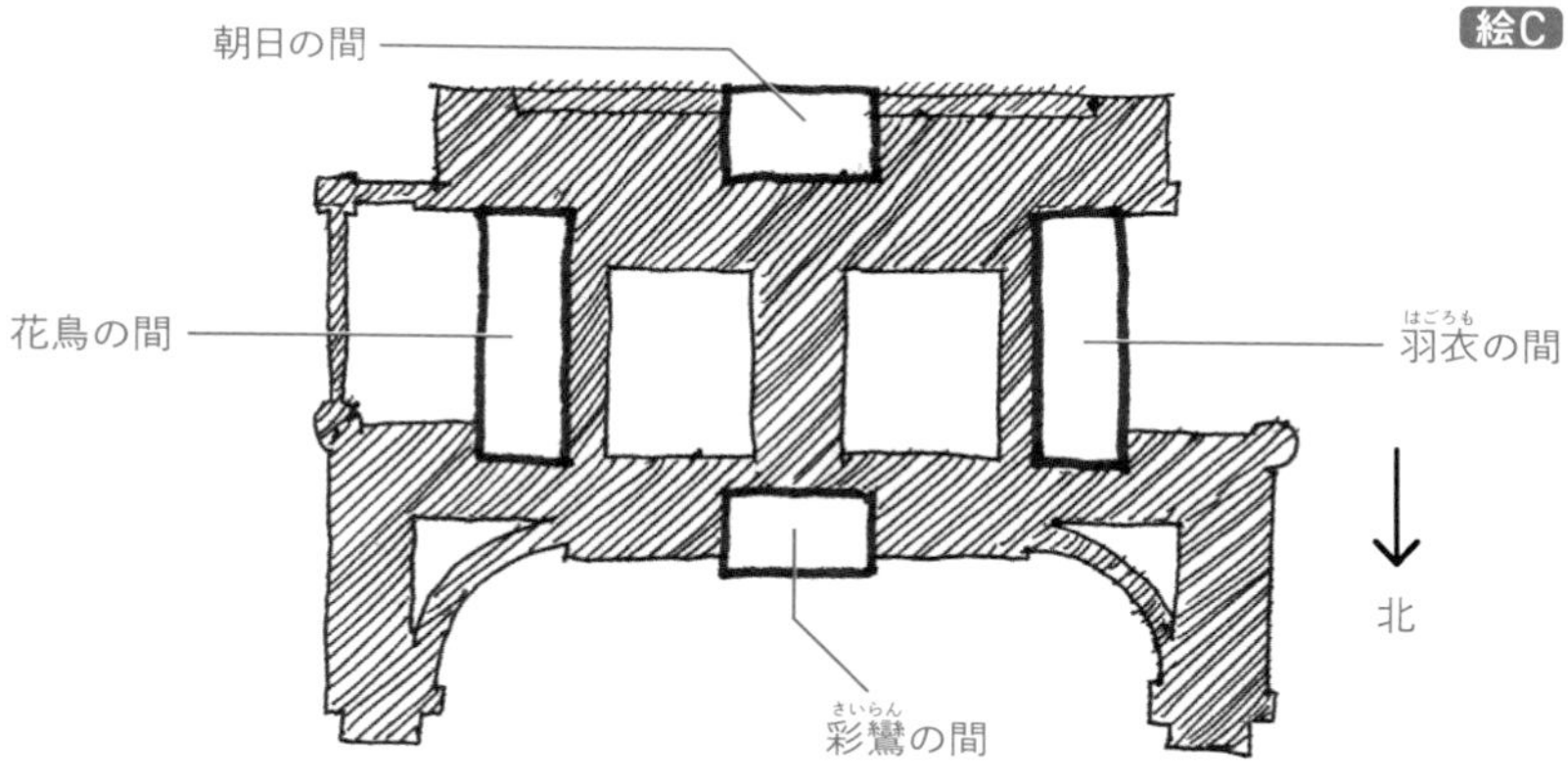

朝日の間
花鳥の間
羽衣《はごろも》の間
北
彩鸞《さいらん》の間

絵B-3

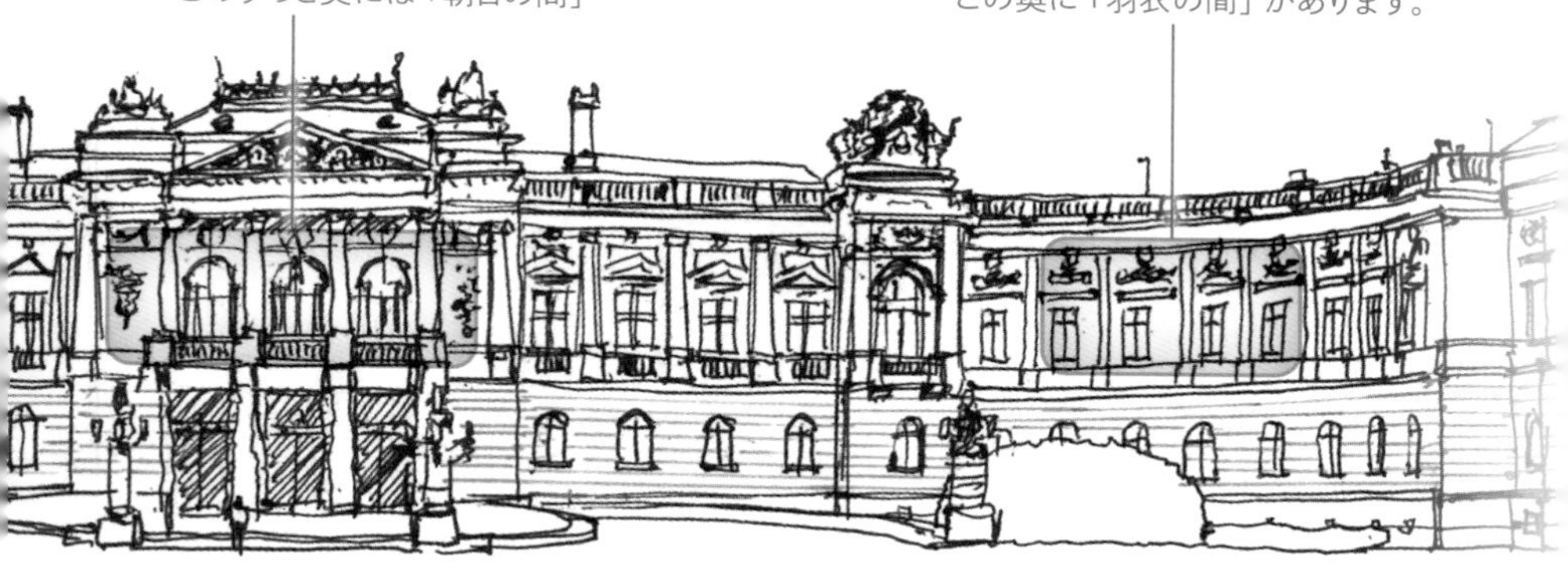

「彩鸞の間」
このずっと奥には「朝日の間」
この奥に「羽衣の間」があります。

建物の中央部の北側に「彩鸞《さいらん》の間」、南側に「朝日の間」。東に「花鳥の間」、西に「羽衣《はごろも》の間」です。

これらの4室の位置関係を、正面外観の絵でざっとの配置を表示してみます。絵B－3です。このうち、「彩鸞の間」と「朝日の間」は窓を通して、直接、中庭や主庭をそれぞれ望むことができます。「花鳥の間」と「羽衣の間」については、北側の外観で見えている窓とは直接にはつながっていないので注意ください。この2室はそれぞれ、東西面からの採光です。

朝日の間

部屋の名前は、天井に朝日を背にして女神が四頭立ての香車《こうしゃ》で走らせていく絵に由来します。国公賓などのサロンに使われ、最も格式の高い部屋です。

天井は高さが8・6mあり、部屋の広さは約191平方m。室内の装飾はフランス18世紀末様式で、16基の円柱はノルウェー産大理石で、柱頭はイオニア式です。壁の四角い枠が8ヵ所あり、京都西陣の金華山織が張られています。フランスから輸入したものとしては、シャンデリアや家具がそうですし、床には、47種類の紫の糸で織られた緞通《だんつう》が敷かれています。部屋の東西南北には、軍船や甲冑などの絵が飾られており、戦争と天の関わりが主題です。このようにこの

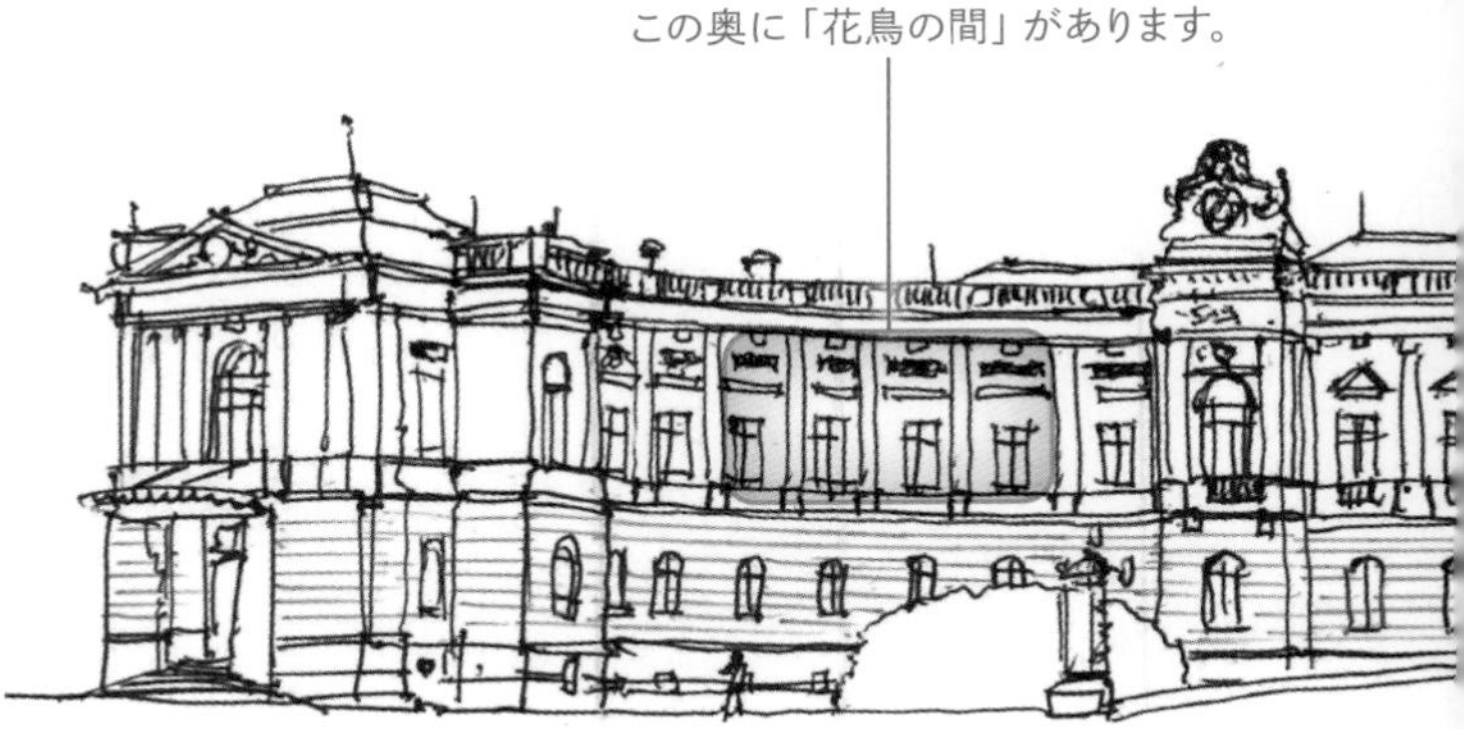

部屋は、ヨーロッパなどでは謁見の間に該当します。

彩鸞の間

絵A－2をご覧ください。

この部屋の大鏡などに飾られている、鸞と呼ばれる鳳凰の一種である霊鳥から命名されました。条約調印や記者会見の場などに使用されます。また来客の控えの間など多目的利用です。天井が約10mと高く、10枚の鏡の存在が、部屋の奥深さを引き出します。部屋の装飾は19世紀初頭のフランスのアンピール様式です。室内の家具はシンメトリーで、その脚はライオンの脚の形を模しています。

絵A－2

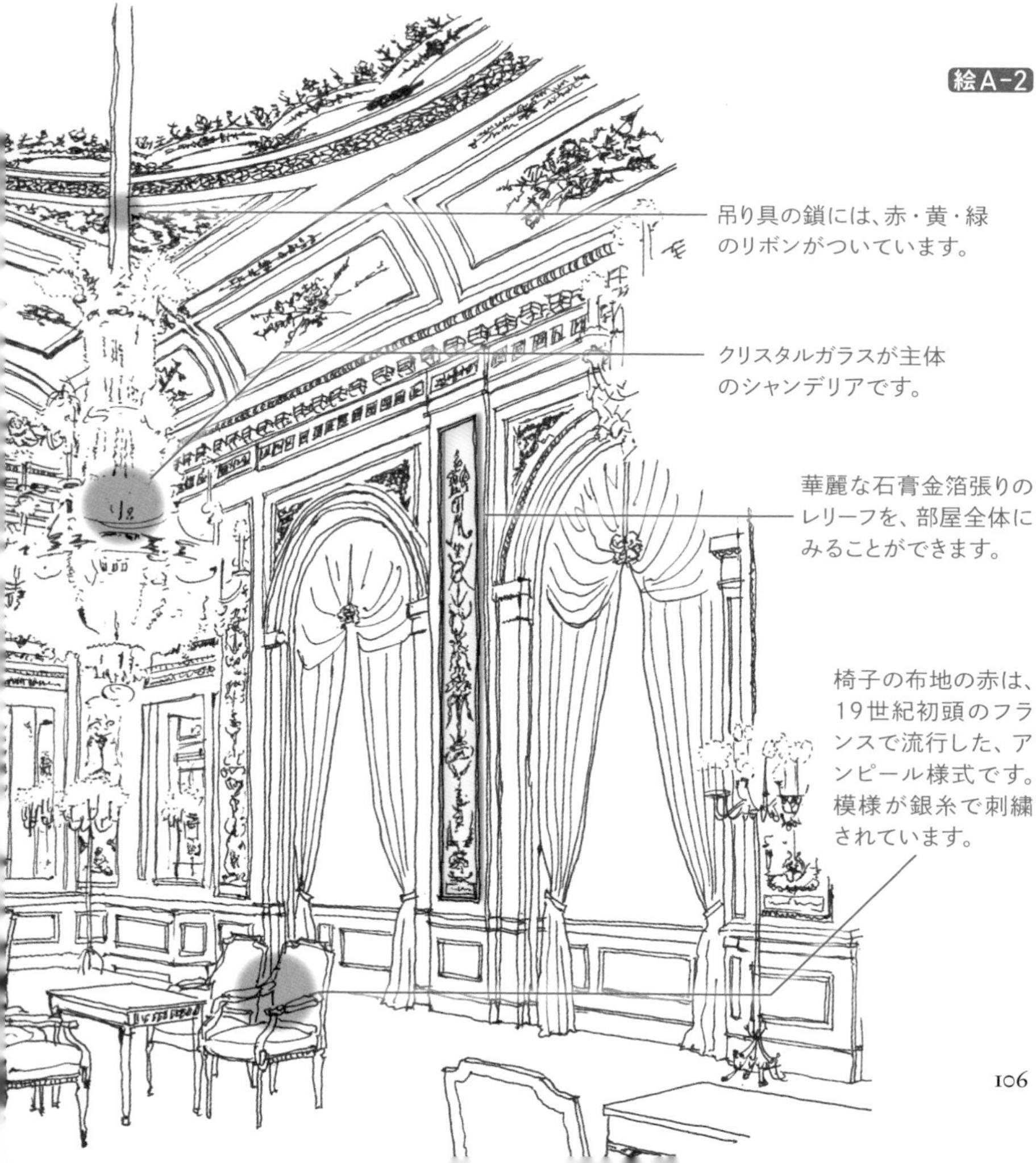

吊り具の鎖には、赤・黄・緑のリボンがついています。
クリスタルガラスが主体のシャンデリアです。
華麗な石膏金箔張りのレリーフを、部屋全体にみることができます。
椅子の布地の赤は、19世紀初頭のフランスで流行した、アンピール様式です。模様が銀糸で刺繍されています。

石膏金張りレリーフについては、甲冑や伝馬などの装飾が華麗に、天井や壁、柱などに描かれています。また天井にはアーチ状のレリーフが、幾筋を伴って放射状に広がっています。これは戦場で設営されたテントを思わせるデザインです。

花鳥の間、羽衣の間

花鳥の間という部屋の名は、天井の36枚の絵や壁に飾られた七宝焼きなどの題材が花や鳥であることからきています。晩さん会や音楽会、諸会議などに使用されます。木曽の塩地材が張られた壁板に、30枚の花鳥が描かれた七宝焼は見事です。会食は130人まで可能です。

羽衣の間は、レセプションや会議など、多目的に使用されます。当初は舞踏室と呼ばれていました。その証拠にオーケストラボックスもあります。部屋の名前は謡曲「羽衣」のおもむきをフランスの画家に描かせた天井画からきています。その壁画は、曲面画法による300平方mの大壁画です。装飾はフランスの18世紀末様式で、白壁と金箔で、全体に直線的な構成です。

これら4つの部屋以外にも、中央階段や東の間なども室内装飾は目を見張ります。

また、国の整備の一環として、1974年には和風別館が本館の東側に建設されました。設計者は谷口吉郎（1904–1979）です。

翼を広げた鳥の彫刻です。部屋の名前にもなっている「鸞（らん）」と呼ばれる霊鳥の一種です。
大鏡は全部で10枚あり、部屋を奥深くみせています。
刀剣のレリーフです。随所に見出せます。

東京国立近代美術館や東京国立博物館東洋館などの設計で知られます。ここは「遊心亭」と呼ばれます。

石造りの外観のデザイン

外壁の主要部分を花崗岩の単一素材で仕上げることに成功した迎賓館は、花崗岩という堅牢な材質感も相まって、全体に重厚感あふれる外観となりました。

フランスのベルサイユ宮殿など、世界最高峰の宮殿建築などを視察することで、片山東熊はその表現様式を完全に自分のものとしました。特に迎賓館の外観で、主庭側の外観にその力量が発揮されていると考えられます。単一素材のみで外観が構成されているわけですから、花崗岩のもつ硬さが全面に出てもおかしくないのですが、部材の比率や間隔、あるいはディテールの工夫などによって、ソフトで上品な南側外観に仕上がっています。

絵Dはその主庭側の外観の絵ですが、1階、2階のそれぞれの意匠にかける片山東熊の情熱が細部にまで行き渡っているようです。絵Eは、その部分を示しますが、双柱の比率や下部の積層する目地割り付けの美しさに至るまで、片山東熊のデザイン力の高さを証明しています。

東京駅赤レンガ造の設計者である辰野金吾と片山東熊はなにかと

絵D

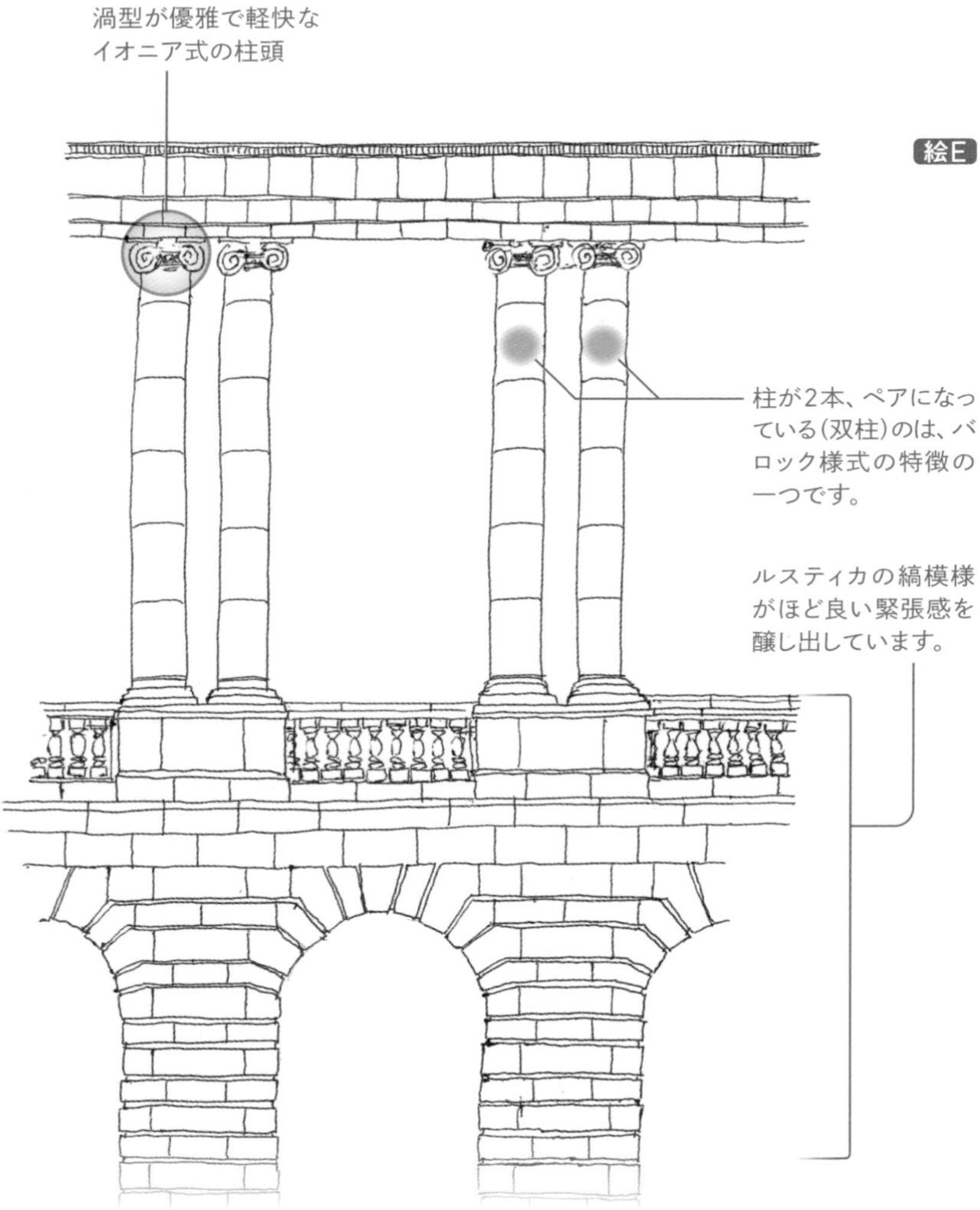

渦型が優雅で軽快な
イオニア式の柱頭
絵E
柱が2本、ペアになっている(双柱)のは、バロック様式の特徴の一つです。
ルスティカの縞模様がほど良い緊張感を醸し出しています。

比較される対象で、両者はお互いに強く意識しあった関係です。が、こと意匠設計に関しては、片山東熊に軍配が上がると私は思いますが、みなさん、どうでしょう。

北面と南面、外観の表情

方位との関係から、建物正面の外観は、ちょうど北面にあたり、しかも外壁がカーブして両翼部分では棟が北に向いています。そのため、陽光があたりにくいのです。半面、主庭とされる南面は燦々《さんさん》と陽があたり、また夕刻時には、壁面や列柱の生み出す陰影が凹凸感を劇的に高めてくれます。その意味では、本来の正面にあたる北面

絵F

代表的なオーダー

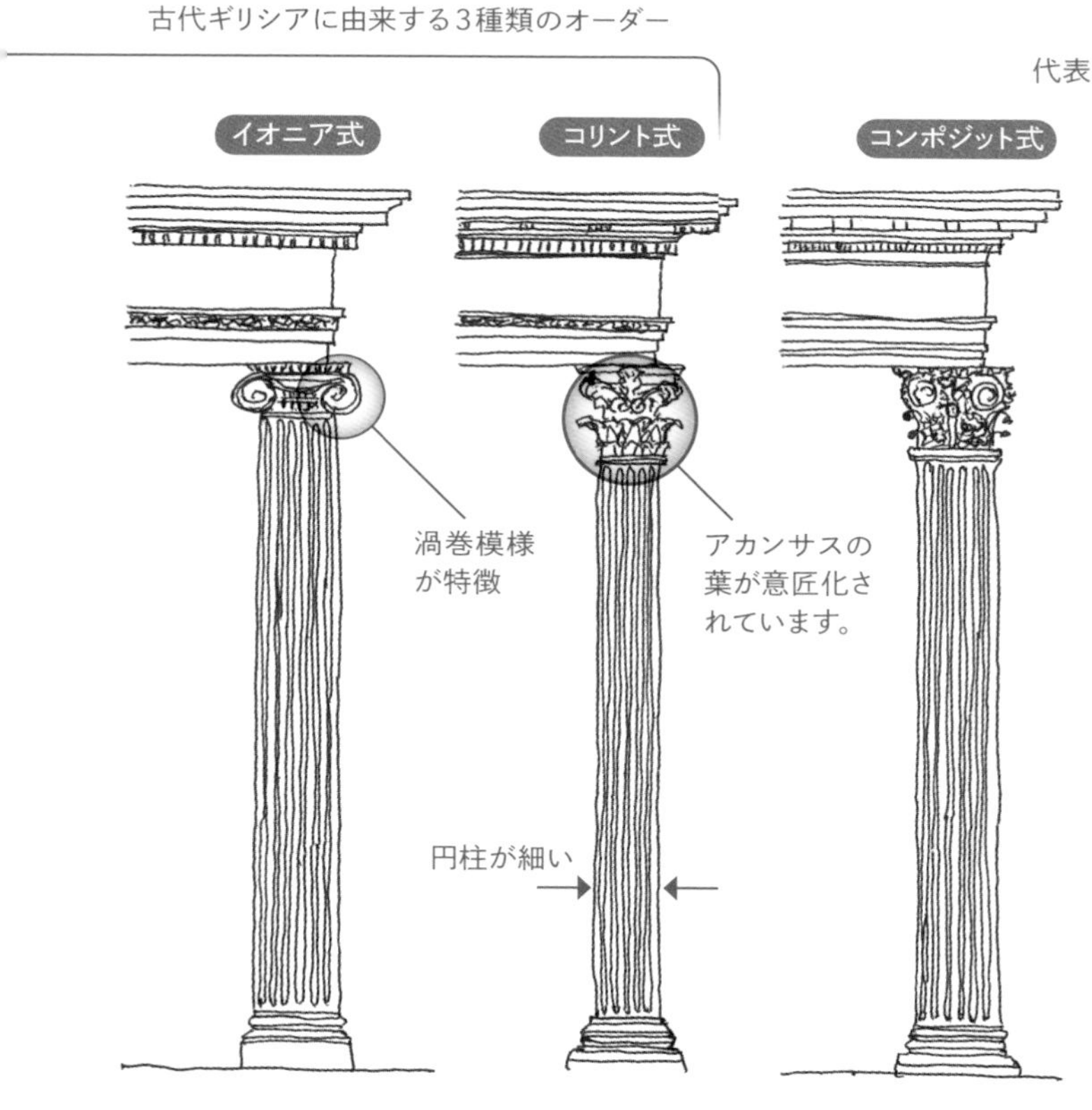
古代ギリシアに由来する3種類のオーダー
イオニア式
コリント式
コンポジット式
渦巻模様
が特徴
アカンサスの
葉が意匠化さ
れています。
円柱が細い

ずっと後の、ルネサンス期に加えられたオーダー。イオニア式とコリント式の装飾が複合され、華やか。

と、南面とでは、外観の表情に大きな差があります。北面はその分、損をしているともいえます。

柱や梁などの形式、比率や装飾

迎賓館でも南面に、非常に特徴的な列柱が外観を特徴づけています。この柱列はイオニア式と呼ばれます。これは、「オーダー」と呼ばれる、柱や梁などの形式、比率や装飾についての決まりの一つです。

ほかにどのような種類があるかを、絵Fで説明しましょう。ドリス式、イオニア式、コリント式の3つが、古代ギリシアでできたオーダーです。それぞれの特徴を言葉でいえば、順に簡潔、優雅、豪《ごう》奢《しゃ》でしょうか。

トスカナ式とコンポジット式は、古代ローマで使われ、ずっと後のルネサンスで整理されたものです。トスカナの名前は、イタリアの旧エトルリアという地方名からきています。ドリス式をもっと簡素化したものです。またコンポジットは英語名で複合を意味し、イオニア式とコリント式の合わさったものです。

赤坂迎賓館には、北面と南面の外観中央部で、2階の柱4本の柱頭にコンポジット式が採用されています。一般的にはあまり用いられない様式なので目立ちます。

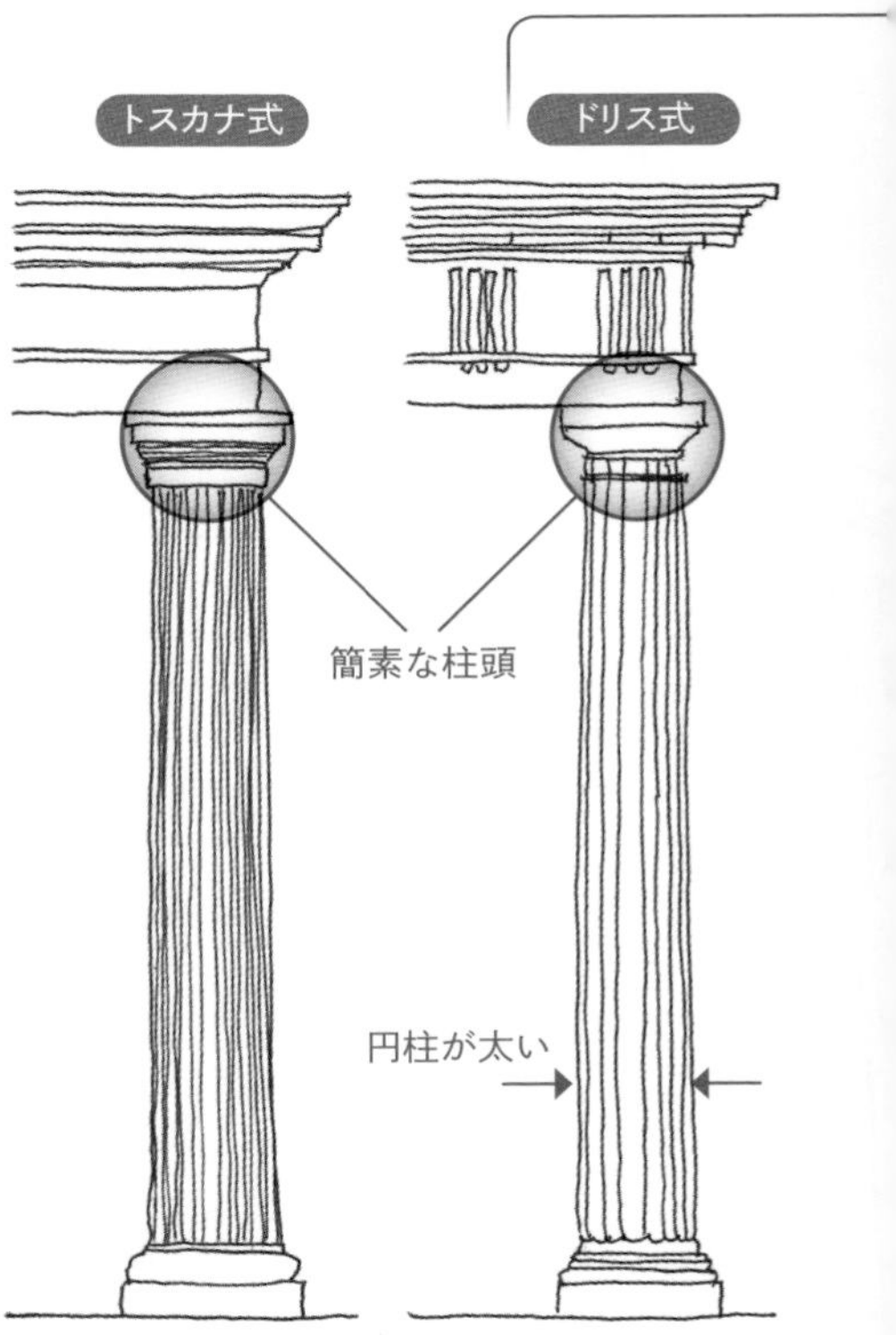

ずっと後の、ルネサンス後期に加わったオーダー。エトルリア神殿の円柱が基になっています。

旧第一生命館 12

所在地：東京都千代田区有楽町1-13-1
最寄駅：東京メトロ「有楽町」「日比谷」
設計者：渡辺仁・松本与作
竣工：1938年11月

絵A
後ろの超高層ビル（増設）の外観も、花崗岩の外壁で、意匠をそろえています。
第一生命
日比谷通り

旧第一生命館と明治生命館、という好対照

日比谷通りを、お堀端に沿って歩くと、保険会社の本社ビルで、ひときわ目をひく2棟の建物に気づきます。一つが、旧第一生命館で（絵A参照）、もう一つが明治生命館です（絵B参照）。両者は250mくらいしか離れていませんから、建物を見て比較対象にするのに最適です。旧第一生命館の竣工は1938年（昭和13年）です。明治生命館の竣工は4年早く、1934年（昭和9年）。ほぼ同じ時代に、同じ業種の企業の本社ビルとして完成したわけですね。外観意匠の著しい差から、昭和初期に、思いのほか表現の多様性が見られたとみるのは私だけではないでしょう。また、設計者も、さまざまな意匠を自在に表現できるまでにチカラをつけていたことの証です。

GHQが接収し、庁舎に

旧第一生命館は、渡辺仁と松本与作の共同設計です。正面の建物外観を特徴づける10本の柱は1階から5階まで達しており、角柱のジャイアントオーダーです。上層の2層分の階には、列柱に呼応するように、縦長の窓がストイックに並び、全体として外壁面と列柱の織りなすプロポーションが適切だからでしょう。強い印象を与え

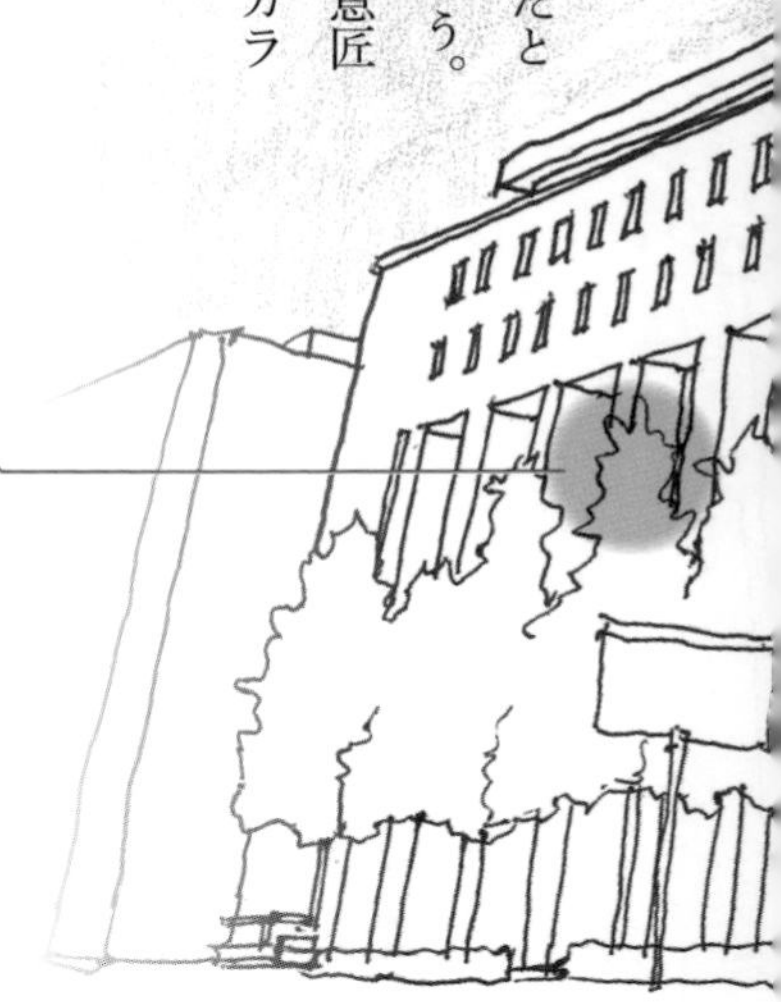

旧第一生命館の外観

ます。

　柱の足元に立ち、見上げた光景が絵Cです。花崗岩のみの外壁ですから、実にあっさりとした表情なのですが、石の大きさと目地の入れ方が上手いのでしょうね。細部に至るまで破綻がありません。一般的にいわれる装飾的要素はきわめて少ないのですが、目地ひとつとってもディテール処理はうならせます。

　この建物が世間的に知られるようになった理由として、終戦後、連合国軍総司令部（ＧＨＱ）の庁舎になったことが挙げられます。総司令長官のマッカーサーが東京に進駐したその日に、あらかじめ候補とされたビルを見て回り、この建物

絵B
明治生命館の正面外観

室内はイギリスのチューダー朝様式。壁はクルミの木、床は桜、黒檀（こくたん）などの寄木細工です。

全体にシンプルなデスクや椅子です。デスクに引き出しがないのは、マッカーサー元帥が即断即決の人であった証かもしれません。

マッカーサー記念室

マッカーサー元帥が毎日、執務した部屋が当時のまま保存されています。

を選択したといわれています。飾らない外観にもかかわらず威厳のある点が評価されたのでしょうか。

旧第一生命館では、今でもマッカーサーが執務した部屋が当時のまま保存されています。接収されてＧＨＱの庁舎になった、いわば歴史的建造物なのです。

古い写真などで、日比谷通り沿いの、建物外観を見ると、巨大な列柱が圧倒的な存在感をもっていることをよく理解できます。現在

は、街路樹が成長した結果でしょう。ちょうど、列柱の柱頭あたりまで街路樹の樹冠が届いており、樹木の背後に柱が並ぶ格好になっています。この点は、旧第一生命館も明治生命館も同じような状況にあります。街路景観としては緑の多い良好な環境で申し分ありませんが、建物単独の外観を期待されて現地に行かれますと、違和感を覚えられるかもしれません。

DNタワー21の西側外観と東側外観の違いに着目

現在、この建物の名称は「DNタワー21」です。1933年に完成した、丸の内仲通りからみて奥の建物「農林中央金庫有楽町ビル」

絵C

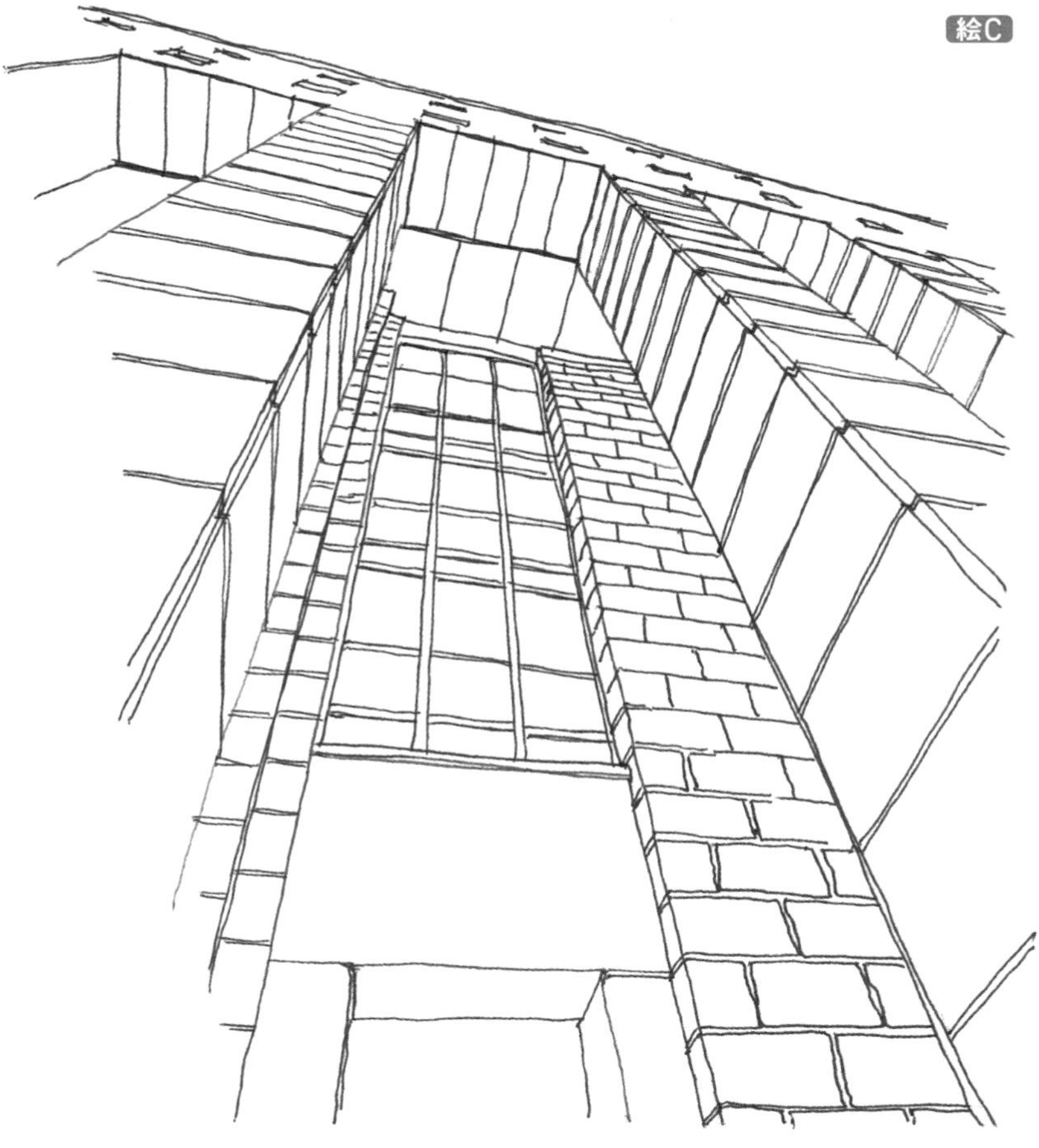

と、1938年にできた第一生命館は、1995年(平成7年)に一体化しました。絵Aで後ろに見える超高層ビル(地下5階、地上21階建て)は増設部分です。高層部分では、外壁素材や窓部分の意匠の整合性が図られていますから、一体感のある建物となっています。

もしこの建物の外周を歩く時間があれば、その面白さが見つかると思いますが、東側の通り(丸の内仲通り)側の、旧農林中央金庫の正面エントランスをみると、柱が丸いのです。絵Dのように、イオニア式のとてもやさしいオーダーなのには驚きます。日比谷通り側の、簡素なオーダーとは違うのですね。柱頭は絵Eのように渦を巻いた、凝ったつくりです。柱に、ギリシアのイオニア式柱にはあるはずの溝がないので、正確にはイオニア式と呼べるか微妙ですが、ともかく上品な列柱です。同じ壁面で付け柱の上部についても、簡素形ではありますが柱頭飾りがつけてあります。同じ建物にあって、外観の異なる意匠のいわば共存を巧みに実現しています。

古典様式に精通した岡田信一郎

明治生命館についても解説しておきましょう。建物の正式名称は明治生命保険相互会社本社本館です。設計者は岡田信一郎(1883-1932)で、東京帝国大学建築学科卒業ですが、早稲田大学教授だった時期が長い建築家です。明治記念館は彼の遺作にあたります。完成させたのは弟の岡田捷五《しょうご》郎《ろう》で、信一郎は病床から、現場を撮影した16ミリフィルムの映像を見て指示を出したといわれています。2年後に完成しました。

明治記念館も日比谷通りに面する正面外観は、5階分の大列柱が、旧明治生命館と同じ本数(10本)並んでいます。この建物では、1階は石積み壁で、2階から6階がその巨大な列柱のある中間階、7、8階は帯状の上階、という構成になっています。大きく3層構成で、窓の配列もよく考えられた意匠です。コリント式の柱頭飾りと、巨

絵D

丸の内仲通り側の外観
（エントランス）

大な柱間隔にあわせて並ぶ1階のアーチの連続など、いたるところに様式建築の名手といわれた岡田信一郎の手腕を見ることができます。また、この作品を真似た、銀行や保険会社の建物が、その後、多く建てられてゆきます。明治生命館は、企業に求められる安心や信頼などの、ビジュアルな表現のお手本と評価されたからでしょう。

なお現在、建物のすぐ後ろに超高層ビルが建っています。これは、明治生命館が昭和に建てられた建物として、はじめて重要文化財に指定されたことが後押ししています。特別な特定街区制度の適用が可能になり、容積率割り増しの再開発が実現したことによります。

絵E

(同)外観の部分

高幡不動尊金剛寺　13

所在地：東京都日野市高幡733
最寄駅：京王線／多摩都市モノレール「高幡不動」
建立：1342年（康永元年）

火の神

高幡山明王院金剛寺。東京・多摩地域では、高尾山薬王院と並んでよく知られている、真言宗《しんごんしゅう》に属する寺院です。通称「高幡不動尊《たかはたふどうそん》」のほうが浸透しています。

古文書から、大宝年間（７０１年）以前とも、あるいは奈良時代、行基（６６８〜７４９）の開基との説もあります。金剛寺では、今から１１００年前の平安時代初期に、清和天皇の勅願により慈覚大師円仁《えんにん》が当地を東関《とうかん》鎮護の霊場と定めて、山中に不動堂《ふどうどう》を建立し、不動明王《ふどうみょうおう》をご安置したのに始まるとされています。火の神ですね。創建はかなり古いのです。

不動堂、不動明王はいずれも重要文化財ですが、ほかにも建物では仁王門が重要文化財ですし、仏像や工芸、古文書などに重要文化財に指定されているものがいくつもあります。長い歴史をもつ寺院ゆえ、建物の倒壊や再建、移転などを経て、今日につながります。

伽藍内の施設配置など

ここでは建築物を中心に話を進めますが、境内は3万坪の広がりを有し、多摩丘陵の一角を占め、高低差をうまく活用した施設配置になっています。なによりも、全山、四季折々の花が咲き誇ります。

4月にはサクライ、6月にはアジサイ、11月には紅葉、という具合です。いつ訪れても、来訪者の期待を裏切りません。それだけでも絵になる場所なのです。

高幡不動駅を降りて、参道を進むと、ほどなく、境内への入り口に着きます。そこからの風景が絵Bです。「仁王門」は目の前です。迷うことはありません。この仁王門ですが、1959年（昭和34年）に解体修理される前までは切妻の屋根がかかっていました。もともと、楼門として建立された門ですから、その機会に、いま見るよう

絵A

な楼門に復原されたわけです。

また、少し先ですが、朱色の、シンボリックな五重塔が、入り口のところからも、目に飛び込んできます。五重塔の建っている場所が、左側の丘陵地に向かう斜面を造成したところなので、非常に目立つのです。五重塔の建立は１９７９年（昭和54年）と新しく、鉄筋コンクリート造ですが、平安時代の建築様式（和様）を採用し、実に優雅です。

五重塔の周囲には、花木が多く植えられていますから、絵になる構図がいくつも見出せます。

仁王門をくぐると、不動堂が正面に見えます。絵Cがそうです。不動堂の背後にある、奥殿に「不動明王坐像」「こんがら童子像」「せいたか童子像」が安置されています。いずれも重要文化財です。不動明王坐像は高さが２８５・８cmとあります。３m近いですから、間近で拝むことができたら、それは圧倒されるでしょう。

境内には建築物が20数棟ありま

絵B

絵C

すが、五重塔を見上げながら、まっすぐに伸びる道を進むと、階段があり山門に達します。その先に大日堂が建っています。お堂の外陣天井に、墨絵で描かれたもので、「鳴り龍」で知られています。江戸時代の作品です。

自然に囲まれて、季節感を堪能でき、江戸の面影を味わうにふさわしい伽藍といえるでしょう。なお、境内の目立つ位置に、新選組の副長だった土方歳三《ひじかたとしぞう》の銅像があります。新選組のファンには必見ですね。

スーパードライホール　14

所在地：東京都墨田区吾妻橋1丁目23-1
最寄駅：都営地下鉄浅草線「本所吾妻橋」
設計者：フィリップ・スタルク
竣工：1989年

バブル経済が生んだ、つかの間の大胆な造形

それまで海外の建築家が日本ではあまり活躍の場がなかった中で（例外はもちろんあります。たとえばフランク・ロイド・ライト）、バブル経済という、空前絶後の活況の中で、話題性のある建築の設計者に各国の建築家が選ばれる一時期がありました。1980年代後半から1990年代前半まで、ですからそれほど長くはありません。短い期間ではありましたが、やはり相当にぶっ飛んだ作品が生まれた数年間だったのです。その中から、ぜひ1つ選ぼうと考えました。

巨大なオブジェとスーパードライホールがそれです。スーパードライホールは建築ですが、その屋上に飾られた巨大オブジェとは一体である、と理解すれば、全体が建築でしょうね。

絵Aをご覧ください。南側から見上げた構図です。かなり高い位置にありますから、オブジェの全体像はわかりません。しっぽらしきものが判別できます。なにか巨大生物の尾、あるいは反対にとても小さなオタマジャクシをモチーフにした尻尾のように思えます。

金の炎

この敷地は「スーパードライ」という名称、銘柄からわかるよう

絵A

に、アサヒビールの本社のあるビルに隣接しています。フランス人のデザイナー、フィリップ・スタルクの設計です。この立体物が何を示すかについてスタルクは、金の炎（フランス語ではフラムドール）だと言います。１９８９年（平成元年）に完成した当時、物議を醸しました。人によって、いろいろなカタチや動物などを想起したからです。アサヒビールは、このオブジェを「躍進するアサヒビールの心」の象徴であるとしています。

素直にオブジェを観察すると、もし炎だとするなら、横に広がる炎というのは変ですから、横に置かれたようになっているオブジェを少なくともまっすぐ立ててほし

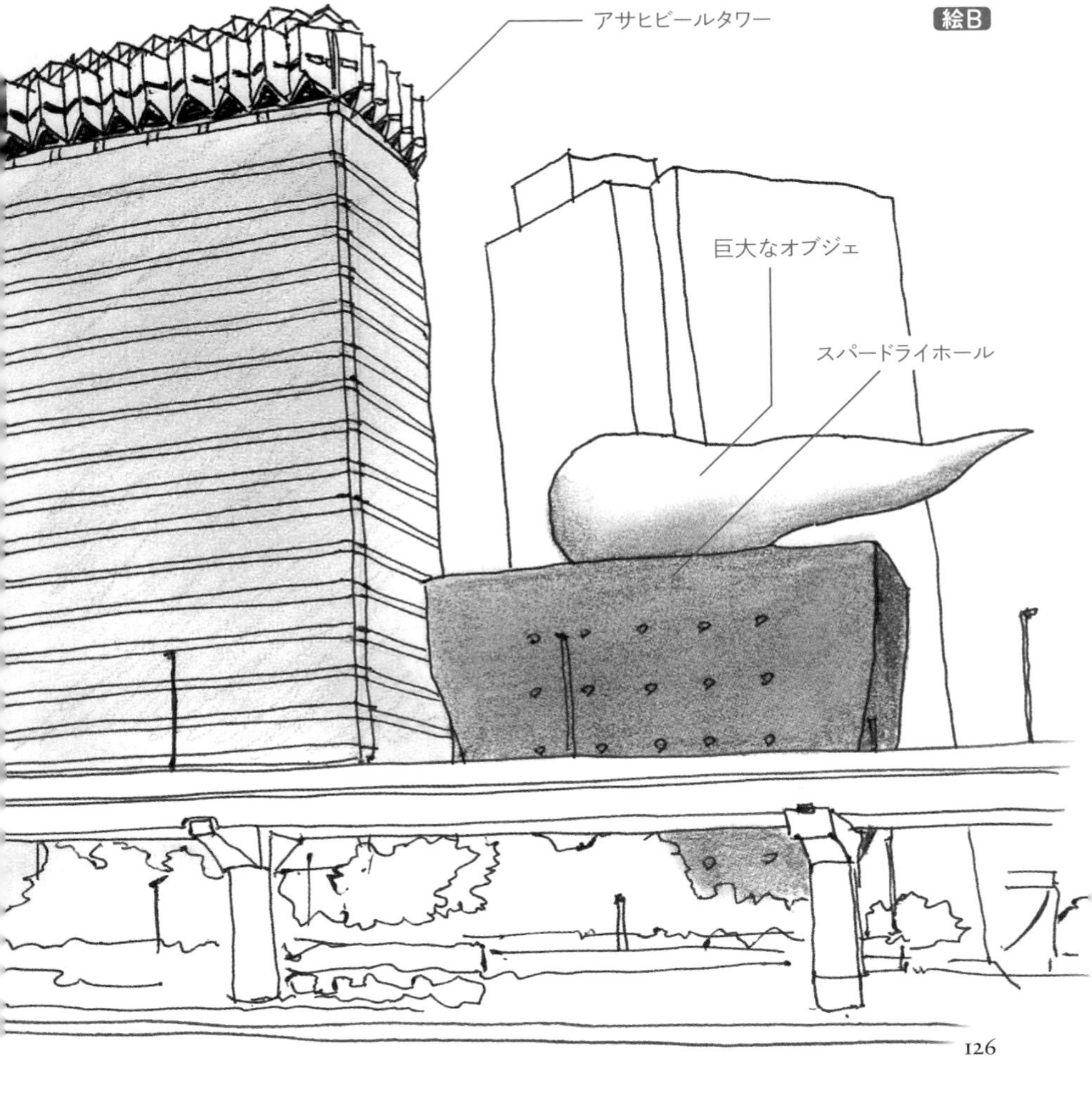

いところです。おそらく可能性の一つは、構造的な問題で、垂直に起こすことができなかったのでは、と推察されます。スーパードライホールを聖火台とみなせば、炎がオブジェであると言えなくもないです。

4棟の建築物の生み出す景観

見る場所を、隅田川にかかる吾《あ》妻橋《づまばし》を渡ったところから眺めると、また違った意味合いを持ちます。絵Bがそうです。金色のオブジェの建物の左には、ビールのジョッキを暗示させるデザインのアサヒビールタワー。その左には、距離的にはずっと遠くですが、東京スカイツリーがよい位置を占めています。その左には、かなりモダンな墨田区役所が建っています。４つの建築がぎゅっと寄せ合って並ぶさまは十分、話題性があります。このアングルで眺めると、オブジェは私にはその巨大さを忘れさせ、かわいい「雲」にみえます。

絵Bで、東京スカイツリーだけは２０１２年（平成24年）竣工ですが、それ以外の３棟は１９８９年から１９９０年にかけて一気に建ち上がりました。もともと、アサヒビールの旧吾妻橋工場跡地の大規模再開発によって誕生したのです。隅田川に沿うこの一角の都市景観は、バブル景気の社会の空気を、今に伝える貴重なものと考えられるのではないでしょうか。

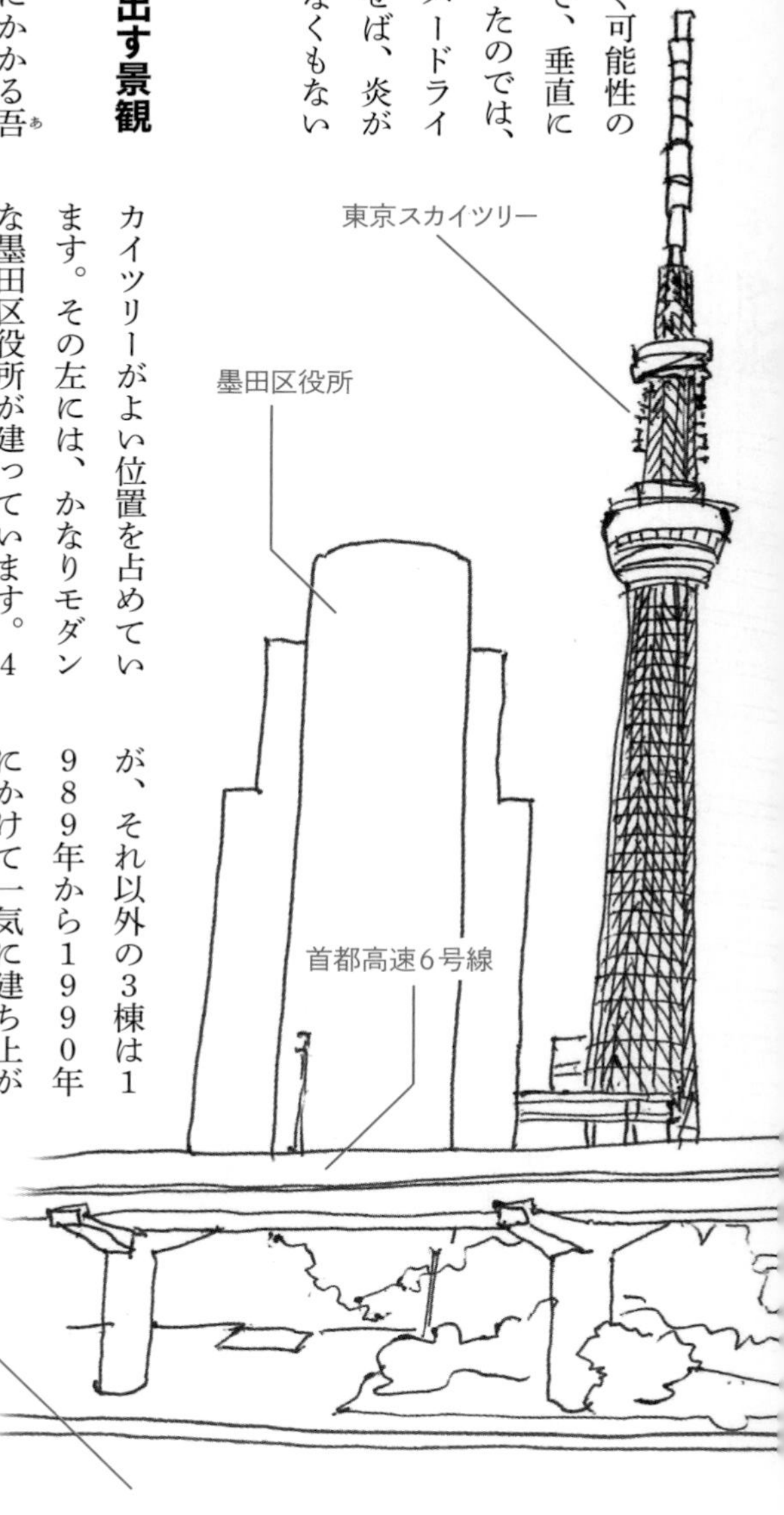

ニコライ堂 | 15

所在地：東京都千代田区神田駿河台4-1
最寄駅：JR東日本「御茶ノ水」
設計者：岡田信一郎ほか
竣工：1929年

絵A
建物正面の姿

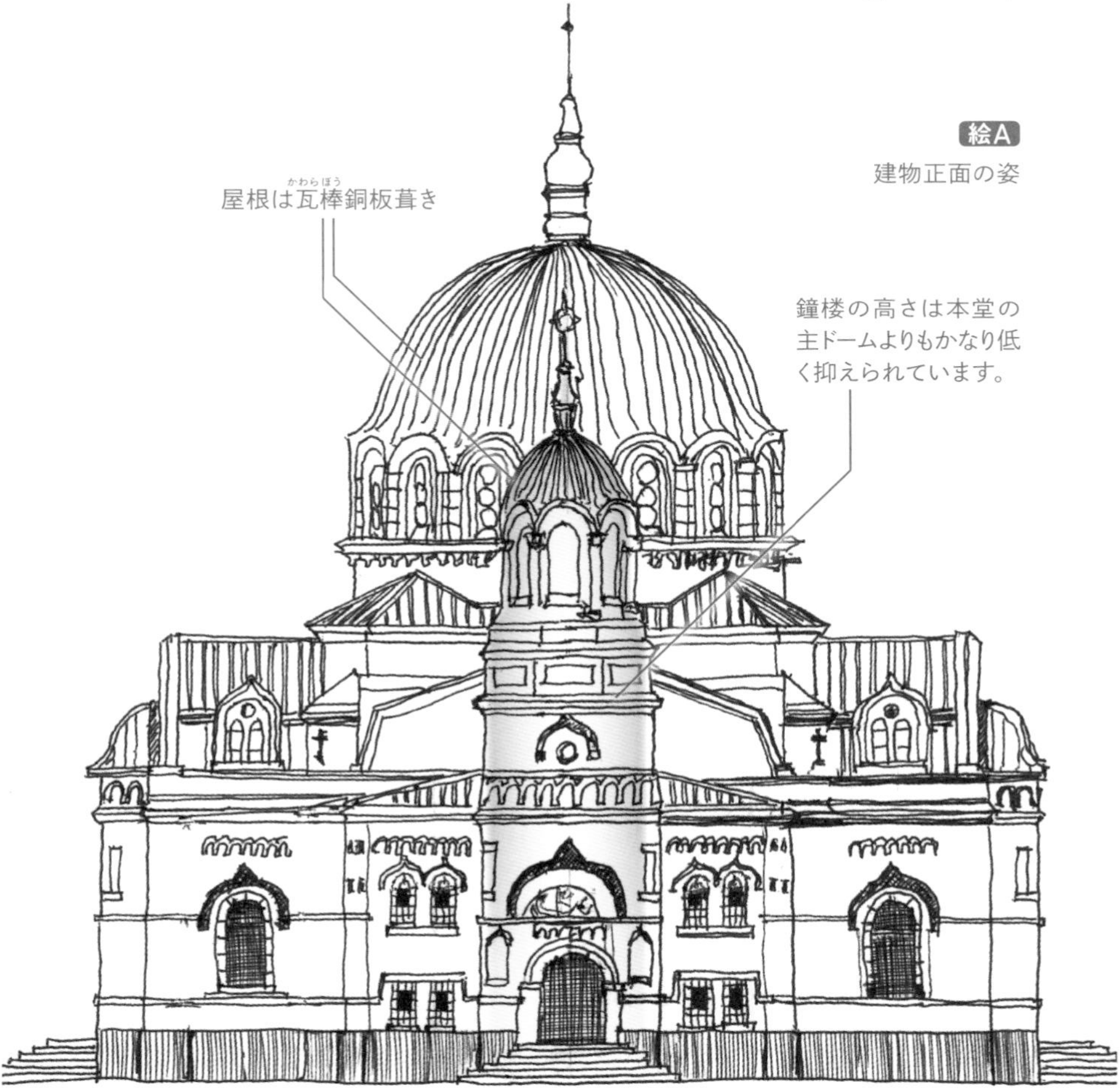
屋根は瓦棒《かわらぼう》銅板葺き
鐘楼の高さは本堂の主ドームよりもかなり低く抑えられています。

珍しいビザンチン建築

神田駿河台にそびえるニコライ堂は、正式名称が日本ハリストス正教会教団東京復活大聖堂です。「ハリストス」はギリシア語でキリストのことを指します。また、ニコライ堂の名称は、この教会を建設した、ロシア人宣教師ニコライ（1836―1912）の名前に由来します。

宣教師ニコライは1861年（万延2年）にロシアから来日します。最初、函館に滞在し、1872年（明治5年）に東京に移ってきます。現在、ニコライ堂が建っている場所を布教の拠点と定めました。大聖堂の建設の資金調達や設計依頼のため1879年にロシアに帰国し、設計を建築家ミハイル・シチュールポフに依頼しました。翌年、設計図（基本的な設計図でしょう。ただし、詳細は不明です）を持ち帰りました。

我が国では比較的珍しい、ビザンチン建築です。またニコライ堂は、煉瓦壁と基礎は創建当初のままであり（鉄筋コンクリートによる補強が、関東大震災の被災以降、一部なされています）、国の重要文化財にも指定されています。

3人の建築家

建築様式について説明する前に、ニコライ堂がたどった変遷について簡単に知ってもらいましょう。

ニコライ堂の設計者として通常3名の名前が挙がります。ミハイル・シチュールポフ（ロシア工科大学教授）とジョサイア・コンドル、岡田信一郎、です。文献によっては、設計がジョサイア・コンドル、修復が岡田信一郎と記しています。

ジョサイア・コンドルが設計を依頼されたとき、彼も困ったに違いないのです。彼はイギリス、ロンドンの出身で、ロマネスク様式やゴシック様式などの大聖堂については詳しかったでしょうが、ロシア正教のことはあまり知らなかったはずです。ですから、ロシアのミハイル・シチュールポフが設計の原案をまとめたのは間違いないでしょう。その基本的な設計案をふまえて（場合によっては、大幅な変更も加えて）、コンドルが実施設計を行ったと考えるのが自然です。こうして1891年に完成しました。

1923年（大正12年）の関東大震災では、ニコライ堂はかなりの被害を受けました。被災した写真を見ると聖堂は中央ドームが崩壊したもののかろうじて残っています。中央ドームよりもはるかに高い鐘楼は、上部が中央ドームに倒れかかり無残な姿をさらしています。ニコライ堂の周囲は焼け野原で、類焼にも見舞われました。

指名された岡田信一郎は、修復にあたって鐘楼の高さを中央ドームよりも低くすることや、穹稜《きゅうりょう》胴というドラムつきの中央ドームの窓のデザインを変更しています。倒壊する前の、鐘楼の尖塔も、岡田は中央ドームと同じスタイルの6角ドームに変えました。どちらかというと小幅な変更が多いのですが、ある程度はやむをえません。なぜなら、建物の基本的な基礎の配置や主要な構造部を変更することを避けて修復したからです。1929年に修復され、これが私たちが現在みるニコライ堂の姿です。

ただ、たとえば外観を特徴づける「腰折れ屋根」ですが、これは岡田の発案です。被災する前のニコライ堂は、屋根が直線的な三角形の重なりからなる外観でした。シンプルではありましたが、岡田はもうすこし複雑な表情をもつ聖堂へと修復しました。このあたりは、コンドルの当初のデザインを支持する人もいるでしょうし、反対に岡田の修復によるデザインがいい、という人も多いでしょう。ビザンチン様式を盛り込んだ度合いで判断するなら、後者かもしれません。

被災を乗り越え再建された建物

ここからは創建当初の姿ではなく、関東大震災の被災を乗り越え1929年に再建されたニコライ堂について解説します。絵Aは正面の姿です。鐘楼の高さが、当初

絵B

ニコライ堂の断面構成

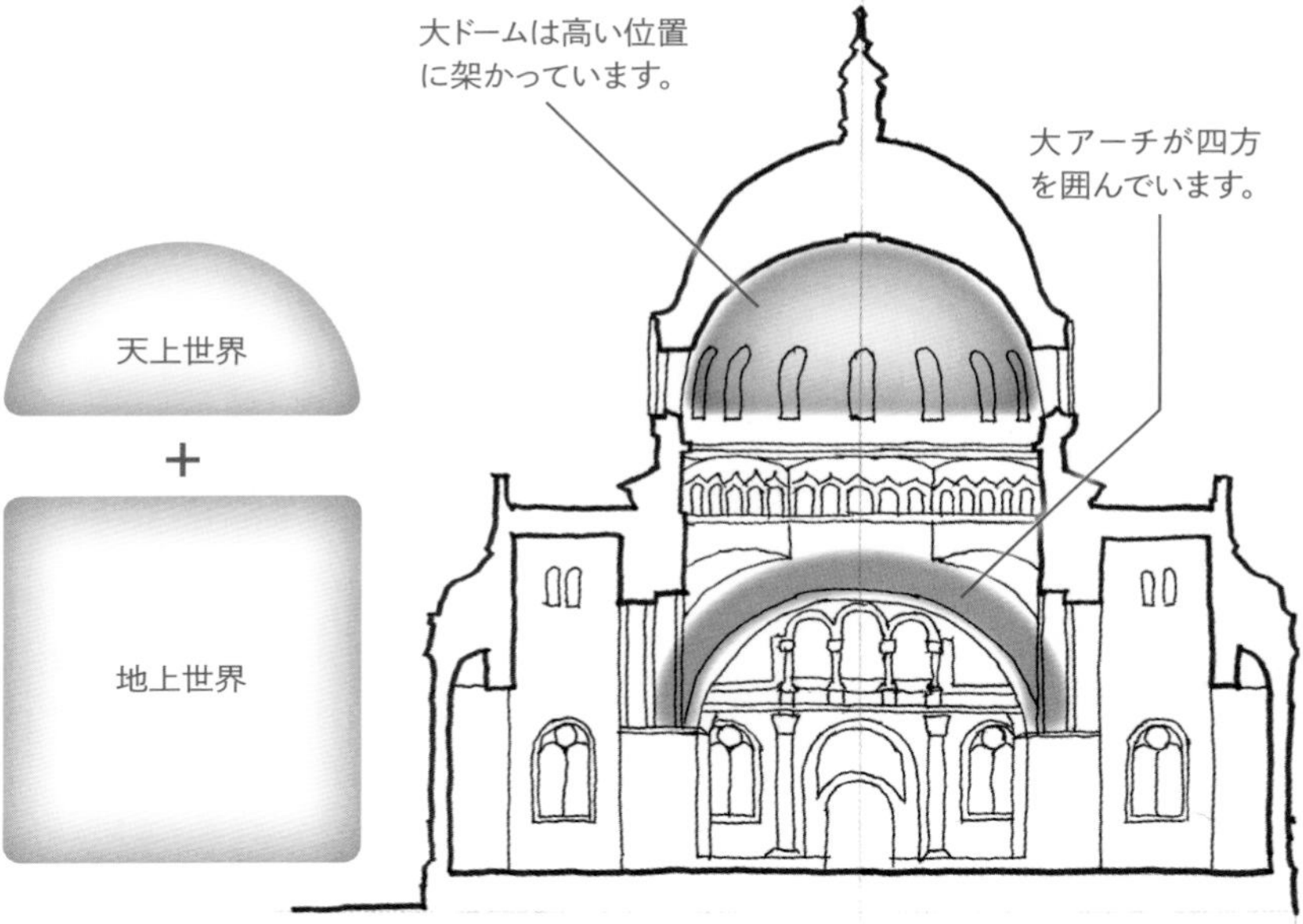
大ドームは高い位置
に架かっています。
大アーチが四方
を囲んでいます。
天上世界
＋
地上世界

の姿とは逆に、主ドームよりもかなり低く抑えられています。構造補強を重視したためです。基本的には左右対称の建物です。

外壁のデザインで上下方向に2、3段に窓が設けられていることや、庇や窓台などを結ぶ帯状のラインが目立ちます。そのため、外観から受ける印象は2階あるいは3階建ての建物のようです。絵Bにラフな断面図を示しましたが、1階建てです。ということは、主ドームの天井はとても高いのです。

建物の中心は、ギリシャ十字のプラン（4本の腕の長さがどれも同じ）をもとにした、主ドームです。正方形の4つの隅の柱部分はそれぞれ大アーチで結ばれます。その上にペンデンティブと呼ばれる架構法によりドーム屋根が載っています。結果として、絵Bに示すように大ドームを仰ぎ見る空間が生み出されています。また、聖所のイコノスタシス（聖障。キリストなどの画像が並ぶ衝立）はロシア人画家ザドロージヌイの制作によります。震災後に復興されたものです。

全景から観察できる特徴

建物の外観から読み取れる点について、絵Cと絵Dを見てください。絵Cは、ニコライ堂の正門前からの景観です。絵Dは東側の本郷通りからの景観です。

全景からの特徴などを絵に示し

絵C

創建当時、この開口部は8個が並んでいました。復興後、16個の開口部になり、当然、ドームの外観は変わりました。
開口部が並ぶ円筒形の壁の上にドームを載せたもの。開口部は6つ、環状に並びます。
鐘楼
大ドーム

ていますが、ビザンチン様式の細部意匠も随所に見ることができます。主ドームの窓を絵Eに描きました。また、主ドームの構造体を支持するため、正方形の平面で4辺のそれぞれの外側に空間が作られています。その上部に採光用の窓が設けられています。絵Fがそれです。細部のこうした装飾的要素をはじめ、繰り返しのリブなど、随所にビザンチン様式を見出せます。

大きなドームを生み出す「ペンデンティブ」

冒頭でニコライ堂は我が国では珍しいビザンチン建築であると書きました。ビザンチン様式の建築は、キリスト教建築様式の1つで、

絵D

東の本郷通りから大聖堂をみています。

屋根荷重は矢印のように下へ伝わります。縦に長い窓であれば設けやすいのです。ステンドグラスがはめ込まれており、光が堂内にさし込みます。

上空からみると、正八角形です。

屋根の構成が複雑です。腰折れ屋根は、岡田信一郎らしさがでています。

この樹木の背後に鐘楼が建っています。

紅梅坂です。ニコライ堂の敷地が高台であることがよくわかります。

絵E

主ドーム の窓

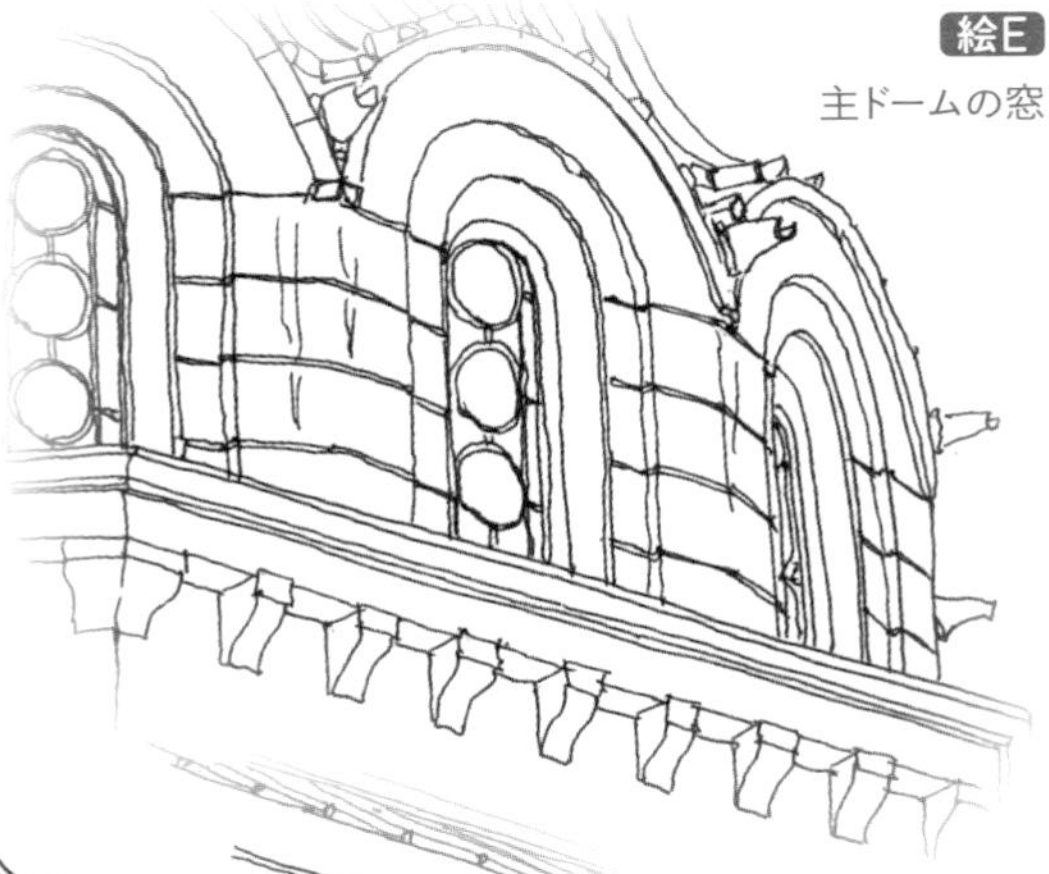

絵F

採光用の窓

平面的には集中式教会ですし、中央には大ドームが設けられています。まさにニコライ堂はお手本のような建築です。

集中式平面では、正方形の四隅から柱を立ち上げたとして、大ドームを架構するには工夫が必要です。ドームは屋根荷重を下へ伝える際に、円の外へ押し出すような力が発生します。

絵Gをご覧ください。ドームがさほど大きくない場合には、たとえば四角い部屋をイメージし、屋根をかけるとします ⓐ。建築素材としてはレンガなどを想定しましょう。ドーム屋根はレンガであれば比較的容易に積むことができます。

正方形の4つの辺に内接する円

が１つ描けますね。その円を直径とする半球をつくれば、ドームになる、これがすぐに思いつきそうです。問題は四隅のところは壁ではありません。通常は、木などを斜めに渡すと、全体で正８角形ができます。それを手掛かりにして円に近いカタチが得られますから、ドームをレンガで積むことができますⓑ。住居などで部屋単位の屋根ならば、荷重の制約も大きくはないので、この方法で実現できそうです。四隅の、三角の部分は隙間が空いたままですから、そこをふさぐ意味でたとえば円錐状にレンガを積むなどすれば、屋根として機能しますⓒ。

ところが、大ドームを構築するとなると、いま述べたようなやり方では、構造的に無理が生じます。例えばⓑのところで木材をかけ渡すといいましたが、巨大なドーム屋根となると、木材にかかる荷重も非常に大きくなり、この方法では危険です。そこで、考え出されたのが「ペンデンティブ」です。この名称は、巨大ドームを四角い平面形の上に構築する手法を指しますが、その鍵となる、３角形の曲面形状を指す意味でも使われます。

絵G

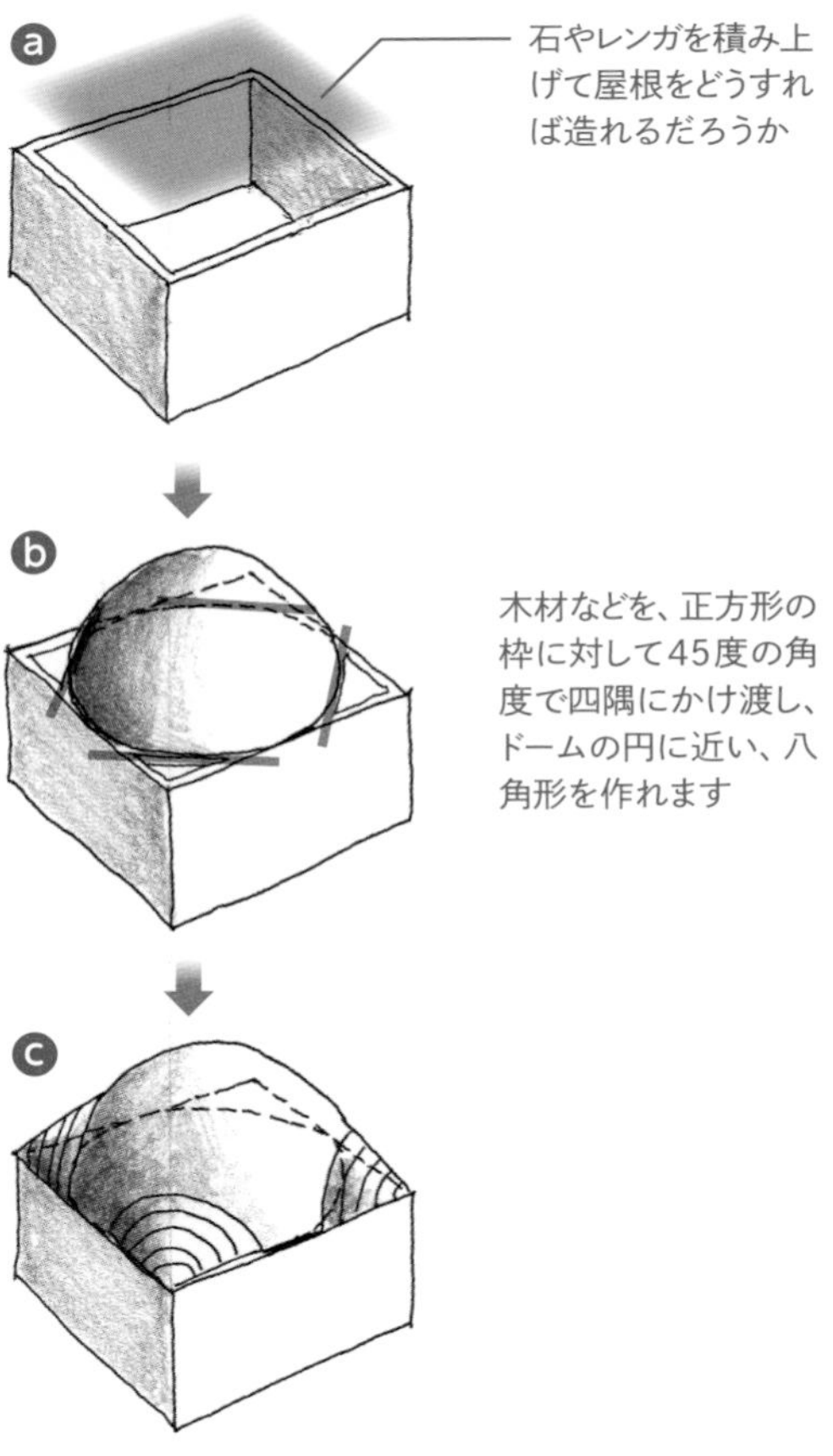
a
石やレンガを積み上げて屋根をどうすれば造れるだろうか
b
木材などを、正方形の枠に対して45度の角度で四隅にかけ渡し、ドームの円に近い、八角形を作れます
c

絵Hで、スタートは正方形の四角い壁状の部屋ですⓓ。4本の柱が正方形の四隅に建つ室内、でも同じことです。正方形に外接する（4つの隅の点を通る円）ように半球を想定しますⓔ。ここでポイントは、正方形の壁に沿って、外側にはみ出た半球の部分をそぎ落としますⓕ。こうすることで、外からみると、半球はアーチ状にカットされた姿になっています。さらに、ⓖに示すように、半球の上部で水平方向に、ちょうどアーチの頂部に接する位置でカットします。

この状態になると、ⓗに示すように、少し小ぶりですが半球をその上にきれいに載せることができます。3つの円弧に囲まれた曲面をペンデンティブといいます。

ドームを載せた状態がⓘです。この絵からもわかるように、すこしでも高いドームを掛けるのに、構造的な力が、曲面に沿って合理的に下へ伝わりますし、工事もしやすいことが挙げられます。この絵は幾何学的な表現なので、たとえば四隅の角に曲面が最後は点になるように絞られていますが、現実の工事では、そのようなことはありえません。そもそも、ドームの曲面には厚みがあり、絵に示すように薄いものではないのです。

ビザンチン様式では、大ドームは正方形のそれぞれの角にたつ柱の上に設置されます。また、ペンデンティブなどの架構技術を使えば、高い位置にドームの頂部がきます。ニコライ堂もそうですが、ドームが非常に大きく見える理由もそのあたりにあります。

東方教会と西方教会

西洋建築についてしっかり理解しようとするなら、教会建築の変遷の全体像をつかむのがベストです。なぜなら、教会の建設にはその時代の最高の知恵と技術、資金が投入されてきたからです。同じことは西洋に限らず、わが国においても、寺社仏閣の伝統的な木造建築の系譜をみればその水準の高さや影響力からも明らかです。

ニコライ堂を理解する上で、ビ

絵H

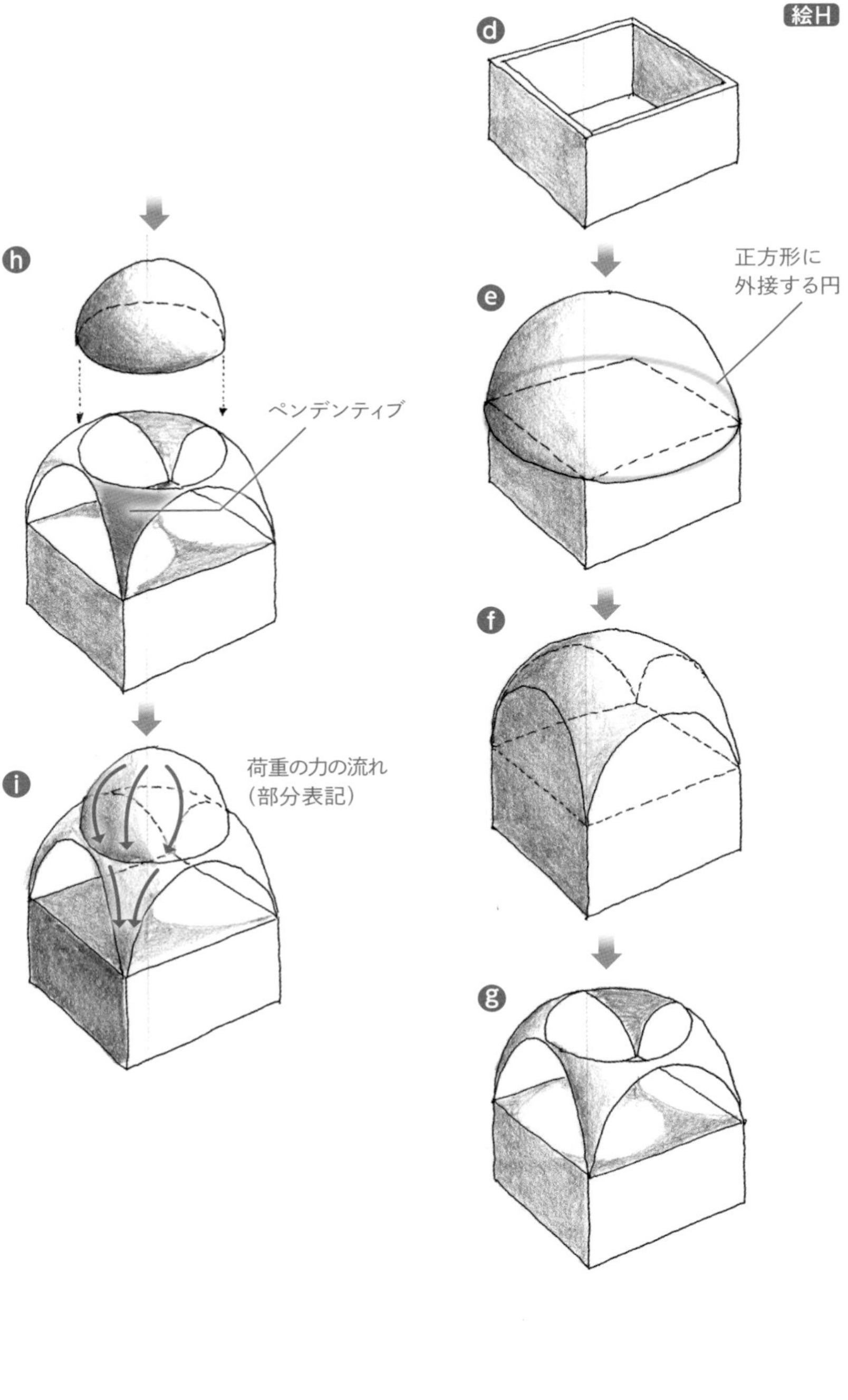

ザンチン様式が教会の全体配置における概要を知っておくとよいのです。絵Ⅰは、キリスト教会の勃興期における2つの大きな流れを説明しています。これは、西洋建築の歴史の教科書にしばしば登場することなので、ここではさわりだけ紹介しますが、古代ローマ時代に、東西に帝国が分裂してから、主に東ローマ帝国が存続した15世紀のころまでの建築様式が、ビザンチン様式といわれます。

右側に「東方教会＝集中式」とありますね。教会の平面の略図はニコライ堂のものを引用していますが、中央部の正方形の四隅に柱が立っています。その正方形で囲まれた領域でドームを支える大ア

絵Ⅰ

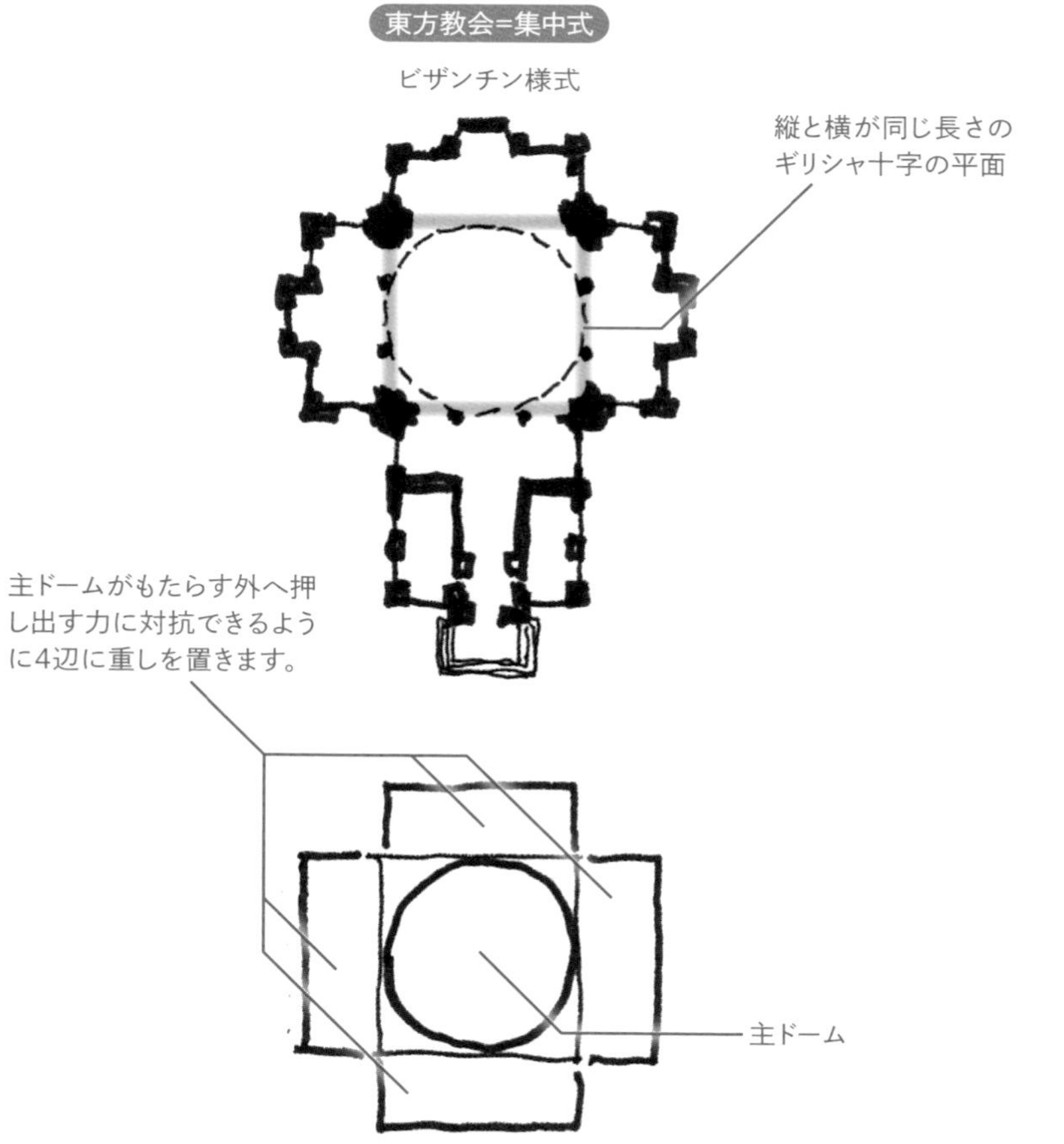
東方教会=集中式
ビザンチン様式
縦と横が同じ長さの
ギリシャ十字の平面
主ドームがもたらす外へ押
し出す力に対抗できるよう
に4辺に重しを置きます。
主ドーム

ーチより下の空間がいわば「地上世界」、上部のドームが「天上世界」という立体構成なのです。

左側に絵Bの断面を模式的に表示しましたが、地上世界と天上世界の、垂直方向の積層関係になります。これがビザンチン様式の教会の核心です。

右側下の平面の模式図ですが、主ドームの荷重を支えるため、ドームの上下左右に重量のある壁体が付け加わることで、構造が安定します。その壁体が囲む空間は、サブ空間として活用できますが、これも東方教会の特徴です。この東方教会がその後にロシア正教へと広がっていくのです。

これに対して、左側の平面模式図はサンタ・マリーア・マッジョーレ大聖堂です。「西方教会＝バシリカ形式」です。祭壇に向かってまっすぐに伸びる軸線が西方教会の基本的な方向になります。その後に展開されるロマネスク様式、あるいはゴシック様式も、スタートはバシリカ様式から始まります。

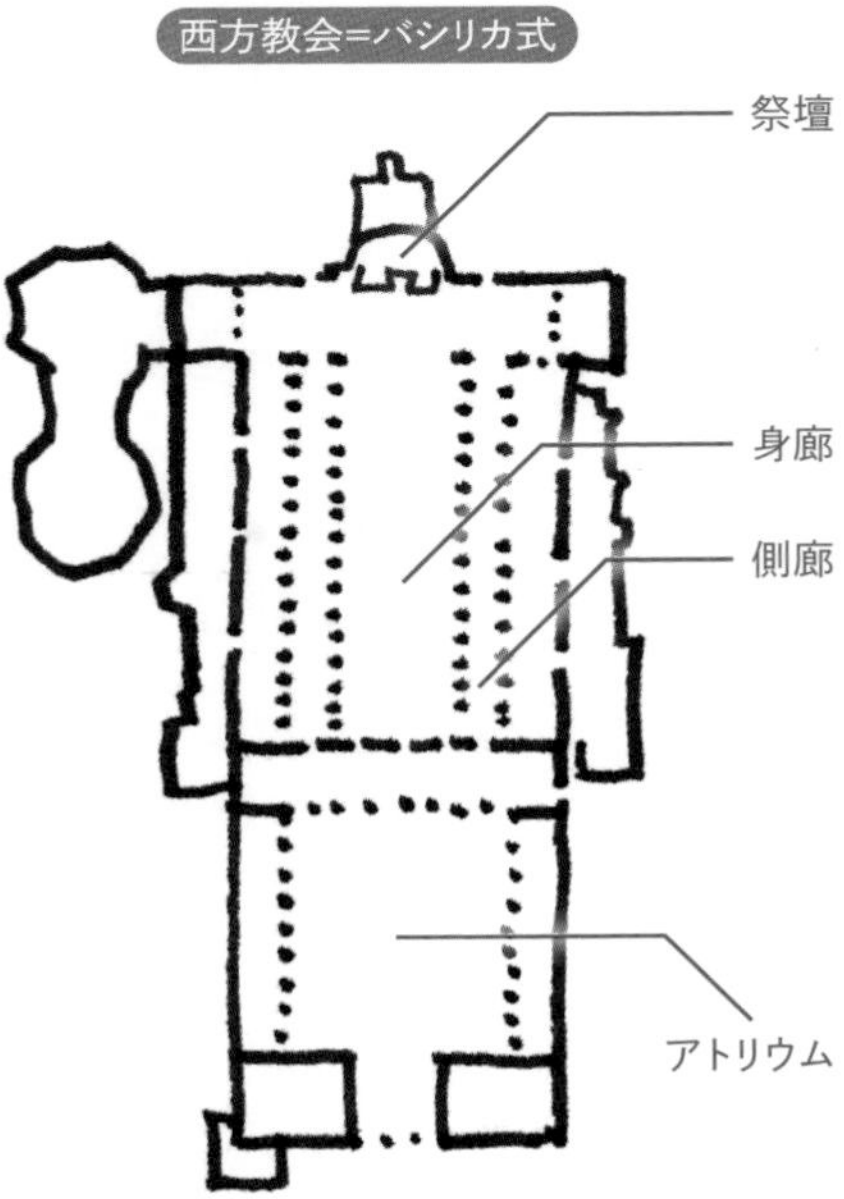

サンタ・マリーア・マッジョーレ大聖堂

世界的にみると、東方教会の代表例として、アヤ・ソフィア大聖堂（トルコのイスタンブール）とサン・マルコ大聖堂（ベネチア）が挙げられます。日本においてニコライ堂は、日本におけるロシア正教会の総本部ですし、東方教会の建築的特徴を正しく伝える貴重な例なのです。

松濤美術館 16

所在地：東京都渋谷区松濤2-14-14
最寄駅：京王電鉄井の頭線「神泉」
設計者：白井晟一
開館：1981年10月1日

美術館誕生の経緯

この美術館が立地する渋谷区松濤は、都内でもお屋敷などが並ぶ閑静な高級住宅地として知られています。渋谷区が区立美術館をこの地に設けようとして、専門家による美術館建設準備懇談会での意見を踏まえ、建築家白井《しらい》晟一《せいいち》（1905－1983）が担当することになりました。

当時の懇談会の素案には、美術館の目指す姿として「渋谷区が建設する美術館は小規模ながら、文化的情緒の豊かさを求め、落ち着いた雰囲気の中に、若い人も老いたる人も、すべての区民が気楽に

絵A

韓国産の花崗岩を外壁に用い、割肌野積（わりはだのづみ）仕上げです。白井晟一はソウル郊外の石切場で採れる、淡い桃色の花崗岩の使用を提案し、採用されました。「紅雲石」という命名も彼です。

楽しみ、憩いの場となるようにしたい」とありました。建物についても「その外観はもちろん、施設内に一歩踏み入れたところからも、また訪れたくなるような魅力をもつものでありたいと考える」と記されています。また、白井晟一は懇談会の委員の一人でもありました。

中央部吹き抜けのプランになった理由

ここは良好な住宅地環境を守るために建物の高さが10m以下に制限される場所でした。また隣地へのプライバシーの配慮、あるいは区からの要望である、展示室だけではなく美術教室を実施するホールや調査研究のための図書室の設置を満たすために、地上2階、地下2階建となったのです。鉄筋コンクリート造で建物の床面積は2027平方m、1980年に竣工です。

左右対称の、個性的な外観

渋谷駅ターミナルから繁華街を通り、静かな住宅地に入り、数分間歩いていくと、明らかに住宅ではない建物が目に入ります。絵Aは、街路に面する、建物正面を描いています。電線などの要素を省いて描きましたからいくぶん、すっきりしています。ピンク色の石造の壁がゆるやかにカーブを描きます。

建物の外観からは想像しにくいですが、外部からはうかがい知れない中庭をもち、奥行きのある構成です。設計者である白井晟一の特徴が、逆に際立つ建物になっています。異端の建築家とも呼ばれますが、近代建築の概念とは無縁の世界に立脚した建築家(哲学者でもある)ゆえです。各フロアの平面をフリーハンドでアバウトに描いてみました。絵Bは、上から2階、1階、地下1階、地下2階の4つの平面を示します。

有機的な曲面を駆使した室内空間

絵画などを展示する美術館では

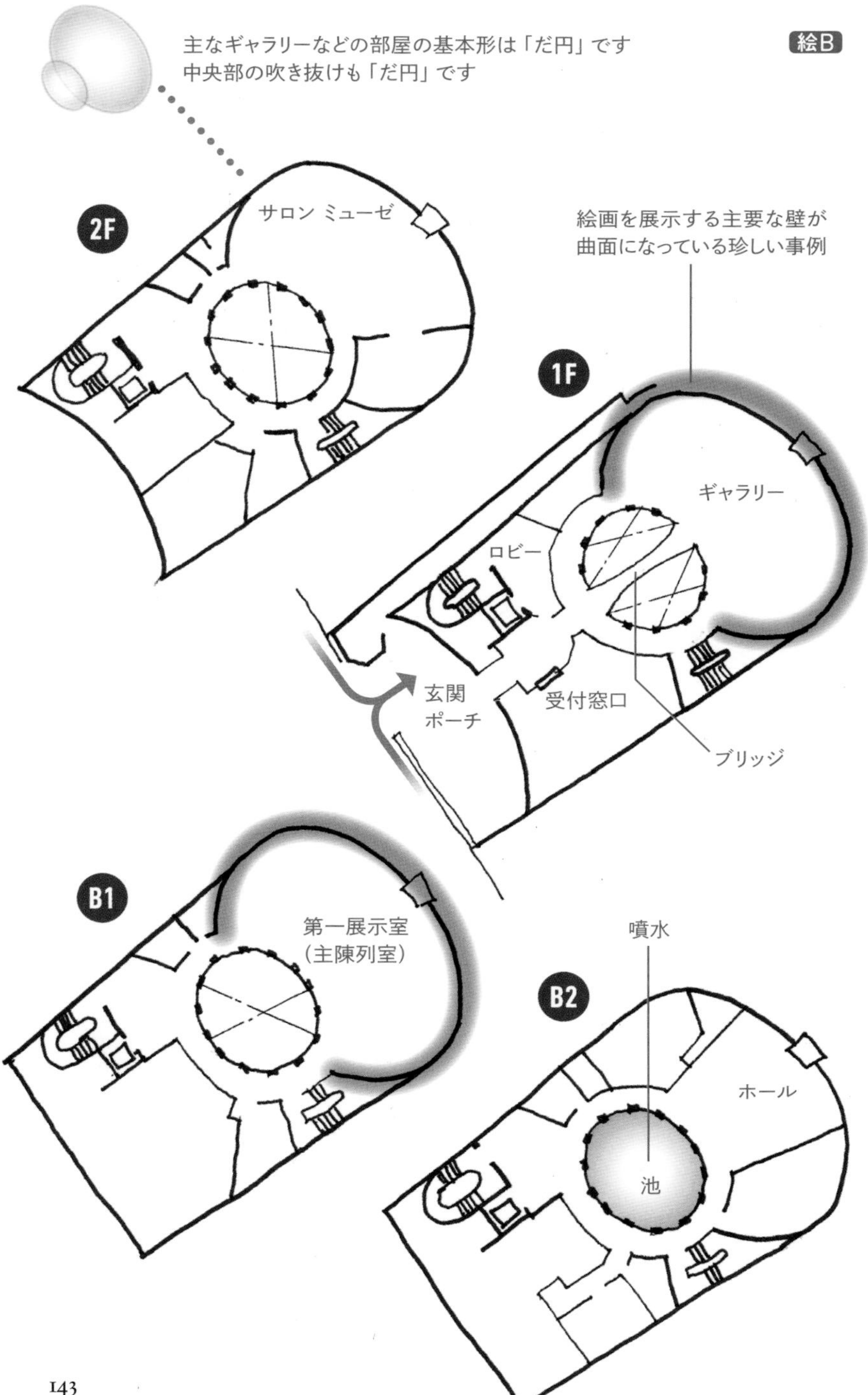
主なギャラリーなどの部屋の基本形は「だ円」です
中央部の吹き抜けも「だ円」です
絵B
2F
サロン ミューゼ
絵画を展示する主要な壁が
曲面になっている珍しい事例
1F
ギャラリー
ロビー
玄関
ポーチ
受付窓口
ブリッジ
B1
第一展示室
（主陳列室）
噴水
B2
ホール
池

通常は直線的な壁を用いて、展示室を構成します。絵が平面ですから当然なのですが、主要な展示室の壁面はまっすぐではありません。曲線は展示室に限らず、中庭を挟む廊下が曲線ですし、吹き抜け空間を渡るブリッジの形状も同様。エントランスの外壁も曲線です。というように、むしろ直線部の構成エリアのほうが部分的なプランなのです。このため、来場者は、館内で、生命体あるいは有機体の中を進むような感覚を抱くかもしれません。

絵Bで各フロアの平面を示しましたが、特徴をわかりやすく示す絵として描いていますから、設計図とは異なります。開口部などは省いていますし、躯体《くたい》と仕上げ面の区別表記なども特に行っていませんからご留意ください。

「だ円」の競演

展示室内などに曲面が多用されている点に加えて、白井晟一が「だ円」をさまざまな場面で使っていることを加えます。

絵Bで、主な展示室の壁面を平面図でみると「だ円」なのです。また、中央部の吹き抜け空間も「だ円」です。彼は「だ円」がことのほか好きだったと思われます。建物の開口部形状に「だ円」が使われていますし、ロビーにかけてある鏡も「だ円」です。

中央部の吹き抜けは、4層分のフロアの採光の役割も担っています。そこにブリッジがかかることで、無機質になりがちな空間に変化をもたせています。じつは、「だ円」は西洋建築の歴史の中で登場する「バロック建築」において、ダイナミックな空間を規定する重要な要素の一つでした。

ブリッジの掛かる吹き抜け空間を見下ろした絵が、絵Cです。美術館という静的な空間に、噴水という動的な要素が添えられていますね。この美術館には、白井晟一の得意な、そして洒脱でユーモアある仕掛けが、あるときは照明器具で、あるときは階段のディテール(細部)で、というように発見できます。玄関の天井の、オニキスの光天井は設計者のこだわりのあらわれでしょう。
アーチ状の石造風の室内仕上げや、階段の手すり、あるいは中央部の吹き抜けの14本の柱と窓の収まりなど、異なった材料の出会う箇所の収まりにも破綻がありません。建築工事は㈱竹中工務店ですが、だ円を基本とした、面倒なディテールに対して見ごたえのある施工もぜひ、見てください。また、来訪者にとり、ソファなど、くつろぐ場所もしっかり確保されており、都会の中のオアシス空間です。

絵C

＊絵でブリッジの右方向にギャラリーに繋がります

旧古河邸　17

所在地：東京都北区西ヶ原1-27-39
最寄駅：東京メトロ「西ヶ原」／JR「上中里」
設計者：ジョサイア・コンドル
竣工：1919年（大正8年）

絵A
神奈川県、真鶴の新小松石（安山岩）による外壁
野面《のづら》積み（=粗面仕上げともいう）なので、ナチュラルな雰囲気を醸し出します

日本の西洋建築の父

都立旧古河庭園の中に、旧古河邸はあります。この洋風邸宅の設計者であるジョサイア・コンドル（1852–1920）は、日本近代建築界の父とも呼ばれています。

明治政府はコンドルを「お雇い外国人」としてイギリスから招聘し、また工部大学校造家学教授として辰野金吾、片山東熊、曾禰達蔵などを育成した教育者としての功績も大きく、日本文化を理解することも忘れませんでした。

コンドルは非常に多くの重要な公共建築（宮内省庁舎、各大臣官邸、各宮家邸、鹿鳴館《ろくめいかん》など）を手掛けてい

左側の窓が出窓（bay window）になっていることで、左右対称性が破られ、堅苦しさを軽減しています
天然スレート葺きの切妻屋根

絵B

ホール及び和室
居間及び次の間（和室）
寝室（洋室）
食堂（洋室）
客室（洋室）
テラスの先は小客室（洋室）及びホール。さらにその先は玄関

バラ園は特に有名で、この構図から建物を眺めることも多いと思われます。建物の室内構成を知ってもらいましょう。外観から、全館が洋室かと思われるかもしれませんが、違います。1Fは洋室ですが、2Fは一室以外は和室なのです

ます。また三菱一号館などのオフィスビル、岩崎家駿河台邸をはじめとする大邸宅を数多く設計しました。黎明期の日本建築界にきわめて大きな影響を与えた建築家なのです。旧古河邸は最も晩年の作品になります。コンドルは洋館だけでなく西洋庭園も同時に設計しましたから、都内でまじかにコンドルの世界を見ることのできる貴重な遺作です。

古河虎之助が設計を依頼

この敷地は、もともと明治の元勲、陸奥宗光《むつむねみつ》の別邸でした。宗光の次男潤吉が古河市兵衛（古河財閥創業者）の養子になり、古河家の所

有するところとなりました。古河財閥三代目当主の古河虎之助《ふるかわとらのすけ》がコンドルに洋館と庭園の設計を依頼したのです。古河家の迎賓館として使用された時期もあり、第二次大戦後、連合国軍が接収しました。戦後、庭園全体は国に所有権が移りますが、現在、東京都が借り受ける形で一般公開されています。建物の保存・管理は財団法人大谷美術館が行っています。

外観は洋館だが・・・

建物の主たる構造はレンガ造なのですが、外観からは石造にみえます。外壁の新小松石の仕上げ野面積みになっているからです。また屋根は木造の小屋組みで、スレート葺きです。素材の使い方からみて、重厚な印象を与えるカントリーハウスといえます。

バラ園が有名な旧古河庭園なので、庭園側から建物を見上げると、外見からはどの部屋も洋室にみえます。ところが、1階は全室そうなのですが、2階は1部屋を除き、和室仕様なのです。和室は真壁《しんかべ》がほとんどで、畳と障子のある室内を、窓を通して外からはわかりにくくしているのも巧みですね。

馬車による来客は染井門から

庭園全体の構成に関係のある事柄ですが、現在、裏門とされ、閉じている染井門が、かっては正門だった可能性があります。馬車で来訪された人は、そこから馬車道とされる上りの園路を経て、洋館の正面に到着したと考えられます。馬車返しや、馬小屋が西門と馬車道の交点近くにあることもそれを裏付けます。アプローチの沿道景観を正しく理解することで、広い庭園内の修景要素の配置や、ひいては建物と庭園との関係も見えてきます。

敷地の特徴として南北方向にかなりの高低差のある傾斜地であることが、カスケード状の庭が映える理由です。典型的な幾何学パターンのフランス式庭園と、カスケードタイプのイタリア式庭園がうまく融合した庭園といってもよいでしょう。また、西洋庭園から徐々に日本庭園へと、空間が変化するところも見どころが多いです。日本庭園は、平安神宮苑や無鄰菴《むりんあん》などの作庭で知られた小川治兵衛《じへえ》（１８６０－１８７９）の作庭です。

全体として、建物、庭園ともに、西洋と日本という本来、異なる文化と様式を折衷案で融合させるのではなく、それぞれを併置させつつ、両者の中間領域にグラデーション的な連続性を保たせることに成功しています。

ジョサイア・コンドルの設計で、都内で現存しコンドル後期の作風をよく表す例として、綱町《つなまち》三井倶楽部（旧三井家倶楽部）があります。

絵C

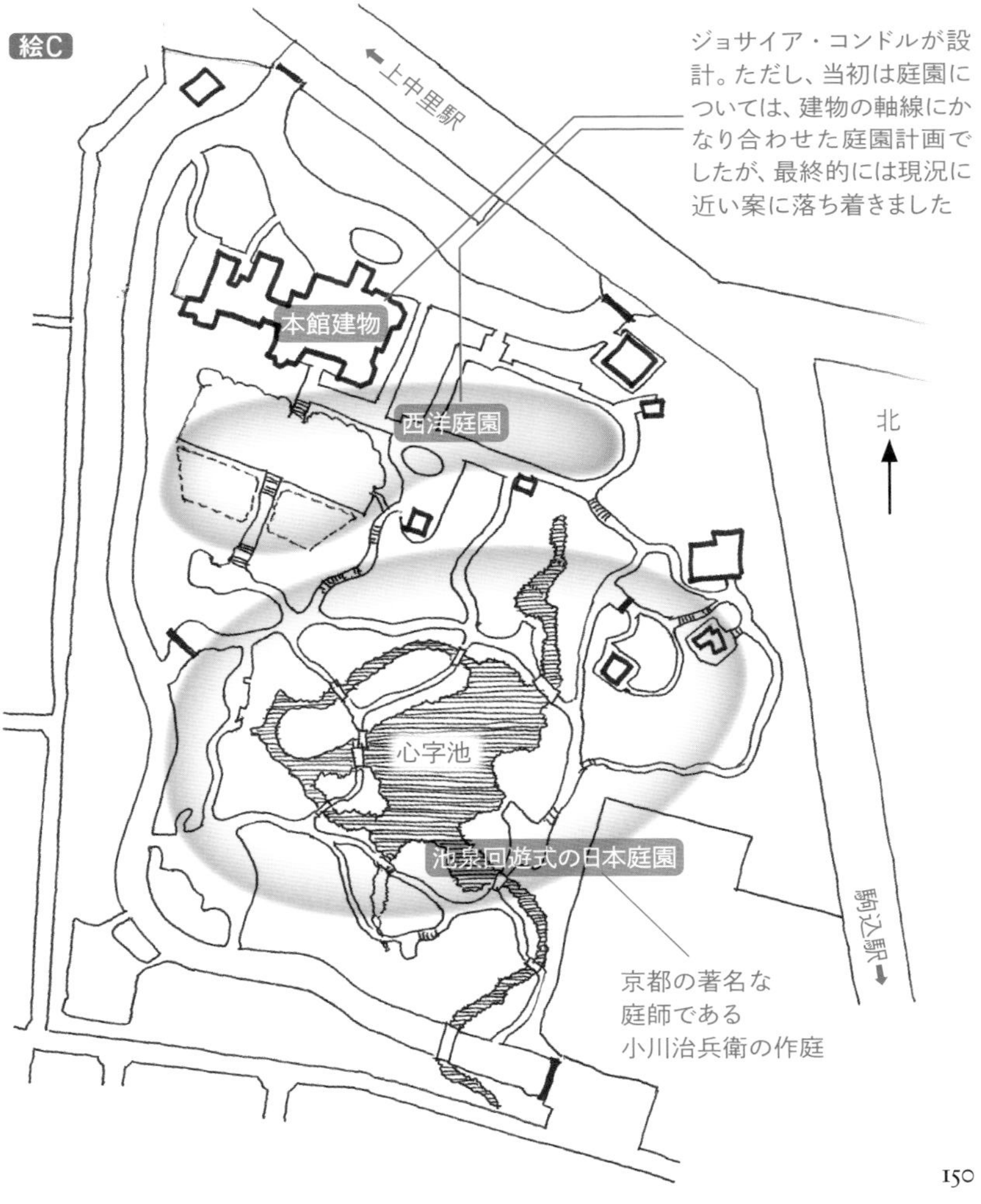

ジョサイア・コンドルが設計。ただし、当初は庭園については、建物の軸線にかなり合わせた庭園計画でしたが、最終的には現況に近い案に落ち着きました
上中里駅
本館建物
西洋庭園
北
心字池
池泉回遊式の日本庭園
駒込駅
京都の著名な庭師である小川治兵衛の作庭

三井家の迎賓施設として1913年（大正2年）に竣工しましたが、関東大震災で被災したものの、創建当初の姿に近づけて修復されました。この絵は南側の外観です。ルネッサンス様式を基調にしつつも、2階ベランダで中央の3アーチ分の外壁が外側に湾曲しているところにバロック的な表現を感じさせます。諸室平面図などから、動線計画や調度品などの配置などに、実務家らしい合理性をみることができます。このほかには岩崎彌之助高輪別邸など、当時の財閥当主などの邸宅の作品を残しています。

綱町三井倶楽部

庭園も含めてコンドルの設計

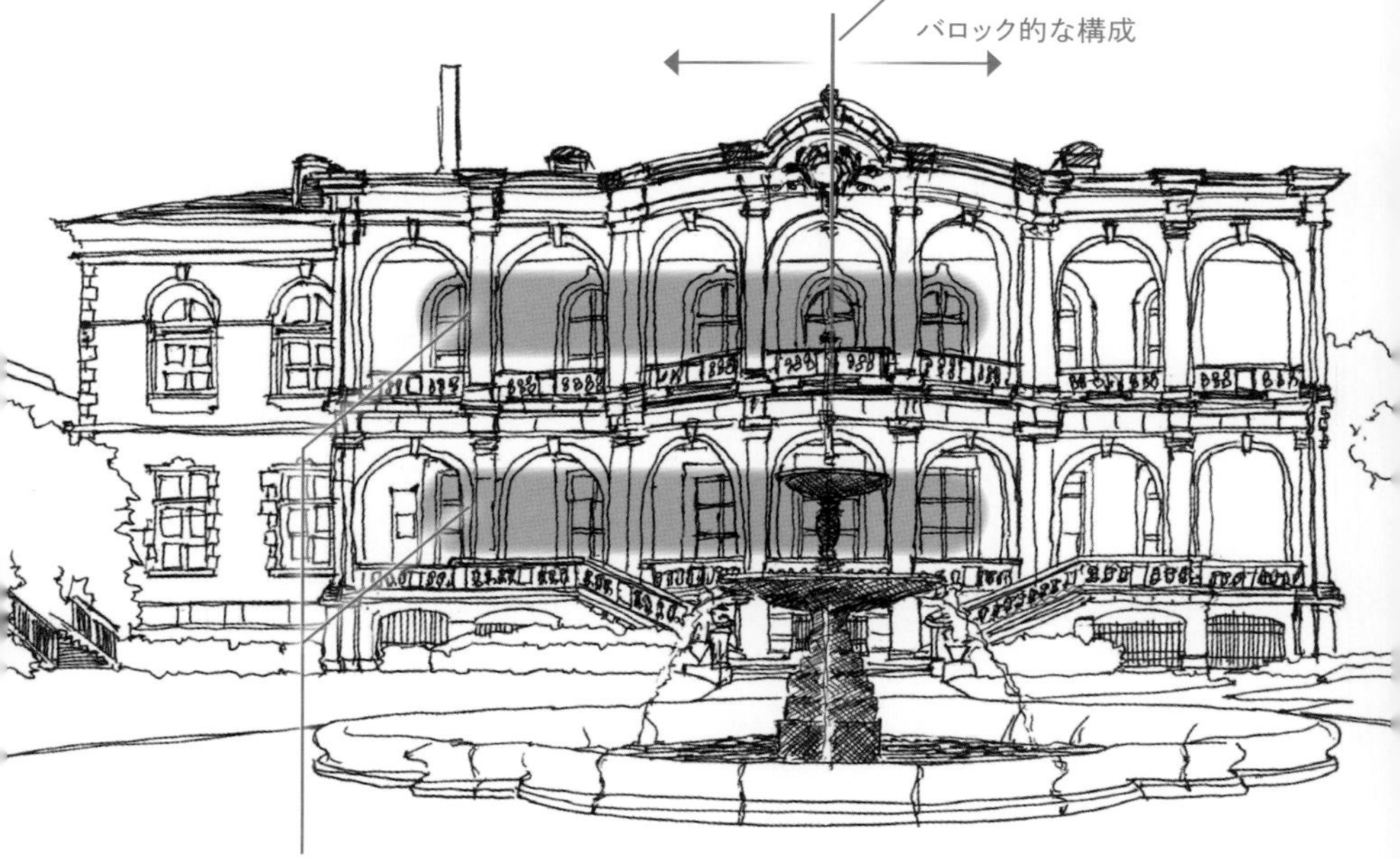

左右対称の中心線
バロック的な構成
ベランダを囲む柱と窓との位置関係が
必ずしもそろっていません。室内から
窓の位置を決めたためと思われます。

小菅東京拘置所　18

所在地：東京都葛飾区小菅1-35-1
最寄駅：東武鉄道伊勢崎線「小菅」
設計者：蒲原重雄
竣工：1930年

絵A

小菅東京拘置所の、敷地南側から北方向を眺めます。

表現主義の建築の貴重な例

東武伊勢崎線の小菅駅、高架のホームからもその巨大施設の一部が遠望でき、その存在感が直接伝わってきます。それが現在の小菅東京拘置所。

その新舎房ですが、全体の完成は2006年。地上12階、地下2階、高さ50mで中央部の中央管理棟の屋上に設けられたヘリポートがランドマークになっています。収容人数は3010人、建物の延べ床面積が約8万平方m。その数字だけ聞いても、いかに巨大かがわかります。

と、説明し始めましたが、お目当ては、その建物が建つ以前に建っていた東京拘置所（旧小菅監獄）のほうです。大正末期から昭和初期にかけて建築界で流行した、セセッション（表現主義）建築の典型例の1つで、現存する建築としては、とても貴重です（絵C）。

設計者は、蒲原重雄《かんばらしげお》（1898−1932）。正面に立つと、あたかも鳥が翼を広げた格好にみえます。頂部の2面に時計がそれぞれ取り付けられていますが、鳥の目のようです。

表現主義を代表する2人の建築家

刑務所の建築が脚光を浴びる理由は、蒲原重雄とその上司にあたる後藤慶二（1883−1919）の2人の建築家の作品が、大正から昭和初期にかけて建築家に多大な影響を与えた表現主義の代表的な作品を残したからです。2人とも、東京帝国大学建築学科を卒業後、司法省に入り、技師になります。

絵B
小菅駅ホームから遠望した現小菅東京拘置所の建物の一部。

ヘリポートです
見るからに巨大な現小菅東京拘置所
凝視しないと判別しにくいですが、かってての小菅刑務所の管理棟の一部も認められます
手前にみえている官舎の一部

蒲原は旧小菅刑務所の管理棟が代表作（正確には遺作）になりますが、先輩の後藤は豊多摩監獄（中野区）の設計者です。彼は最初で最後の大作を実現させ、それが遺作になります。不思議な共通性をもつ2人なのです。

　豊多摩監獄は、現在は赤レンガ造の表門のみが残り、往時の多様な施設群は一つも現存しません。保存されている記録写真などから、その迫力は容易に想像でき、大正期の最高傑作であったとの評価もあります。

　余談ですが、豊多摩監獄は、当時の代表的な政治犯が多く収監さ

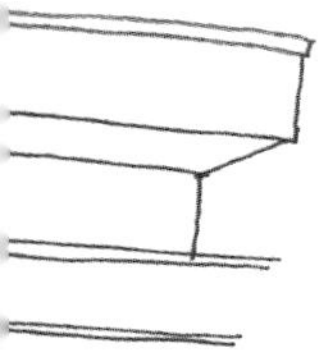

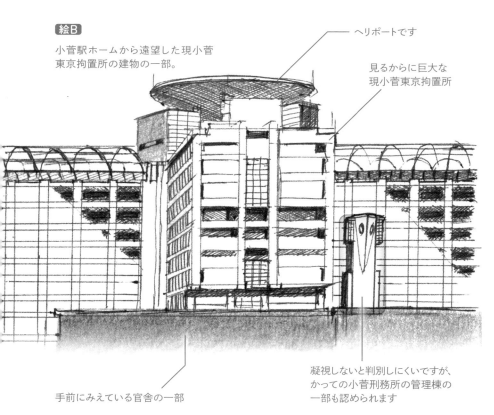

れていたことでも知られます。たとえば、小林多喜二、中野重治、亀井勝一郎、河上肇、三木清、荒畑寒村などです。

2人の建築家の作品で大きく違うのは、蒲原重雄が鉄筋コンクリート造で表現主義と向き合ったのに対し、後藤慶二は、建物すべてを赤レンガという建築材料で構築したことです。塀などの外構も赤レンガでつくりました。

ただ、刑務所の施設の建設は当時、通常のやりかたとは異なり、施工に従事したのは受刑者達です。いわば、素人の集団をまとめて、施工管理まで建築家が行ったわけです。当然ながら、施工期間は通常よりもはるかに長期間を要しました。旧小菅東京拘置所の建築の場合、完成まで6年を要しています。おそらく、特殊な施工箇所もあったと思われますから、100%、受刑者だけで工事遂行できたかどうかは定かではありませんが、蒲原、後藤ともに設計や工事監理にかかる重圧は大変なものであったであろうと推測されます。蒲原重雄は肺炎のため34歳で、後藤慶二はスペイン風邪などのため36歳で亡くなりました。

表現主義の傑作を日本で、蒲原重雄は鉄筋コンクリート造で、後藤慶二は赤レンガ造でそれぞれ芸術品にまで高めたことを加えたいと思います。

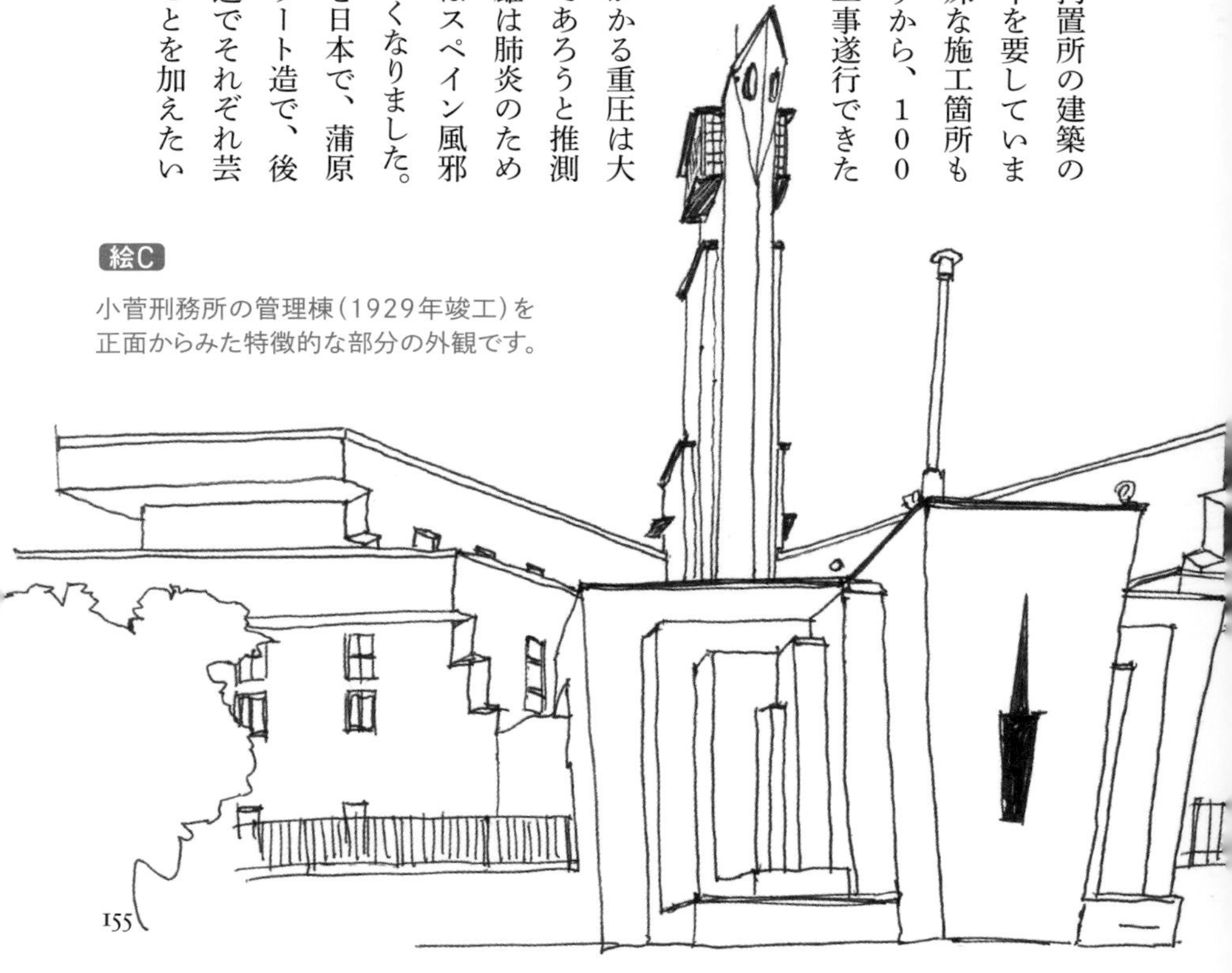

絵C

小菅刑務所の管理棟（1929年竣工）を正面からみた特徴的な部分の外観です。

泰明小学校 19

所在地：東京都中央区銀座5−1−13
最寄駅：東京メトロ「銀座」
設計者：東京市土木局建築課
竣工：1929年

復興にかける東京市の意気込み

１９２３年（大正12年）9月１日に起きた関東大震災の復興にあたり、東京市（当時は東京都でなく、東京市でした）は１１７校にも及ぶ小学校を思い切って耐震建築物として復興する決定をしました。同時に建物の不燃化も行うことにしました。また市街地の延焼防止にも役立ち、一時的な避難空間にもなる緑地を、52校の小学校の復興に合わせて近隣に整備しようとしました。

当時の東京市の、復興にかける決意とその水準の高さには、正直驚かされます。行政の決断のみならず、市民の意識の高まりがそうした動きを支持したわけです。銀座5丁目に位置する泰明《たいめい》小学校も、この復興事業に沿って再建されました。

震災復興の政策として、「同潤会アパート」という新しい都市住宅の整備なども発表されました。あるべき都市住宅への思いや、災害に強い都市への見識が行政サイドにあるからこそ実現するわけであり、頭が下がる思いがします。

玄関がすでに面白い

銀座の繁華街のど真ん中にあって、現役で頑張っている泰明小学校。そのことだけでも十分に話題

絵A

アーチ状の連続
窓が特徴
「じゃばら」のような
派手な庇飾り
玄関の、柱の造形も特殊

性があります。小学校という施設ゆえ敷地内に入ることはできませんが、周囲の街路からでも、建物の特徴を理解できます。まずは、玄関です。

　絵Aは、前面道路からみた泰明小学校の玄関です。場所がら、土地を目いっぱい有効利用されて校舎の建物も敷地外周に沿って囲むように配置されていますし、運動場も無駄なく使われています。道路から校舎の建物までの引きが十分とはいえませんから、逆に玄関の庇《ひさし》や柱などが間近に観察できます。

　真っ先に庇の、凝った造りに目が留まります。２つの外壁面にまたがるように、大げさな庇飾りが迎えてくれます。その形状をたとえていえば、折り畳み式カメラや引伸機の「じゃばら」です。ただ、あまり身近な製品でじゃばらのものはないですから、「じゃばら」では伝わりにくいかもしれません。単なる外壁面では装飾性に乏しいゆえ、面を分割し凹凸をつける手法です。このカタチは、ヨーロッパの表現主義の影響を受けた1つです。同じように、柱そのものも、段々状の幾何学的形状ですね。

3階はアーチの連続窓

窓に目を向けましょう。校舎は地下1階地上3階建て、です。玄関の部分にも、3階建ての外観の

リズムがそのまま踏襲されています。ポイントは、2階ではなく3階の窓です。3階のアーチ窓が連続しています。この小学校が完成した1929年(昭和4年)に、校舎の窓でアーチの連続窓というのは、当時の先端のデザインだったと考えられます。

3階のアーチ窓が、ほかの場所ではどうなっているかを確認してみます。絵Bは、数寄屋橋公園に近い側の外観を示します。校舎の1、2階の開口部は、基準化された長方形の窓が並びますが、3階はアーチ窓の連続で、当時のモダンな感覚がしのばれます。水平ラインが2階と3階の境目の外観に組み込まれていますから、3階のアーチ窓が一層、引き立ちます。校舎の外壁に限らず、アーチ形状は随所に見出せます。

絵Bの構図では、ちょうど、絵の右手には2階建ての1階が体操場、2階が講堂へとつながる部分です。壁面のずれを、単に直角に壁を収めることをしないで、曲面で対処しています。大正から昭和初期には、外壁の出隅部分をこのように曲面処理することがはやりました。

校庭に入る門はフランス門

学校敷地は南側で「みゆき通り」と接しています。アーチの開口部が繰り返す塀が並び、銀座にふさ

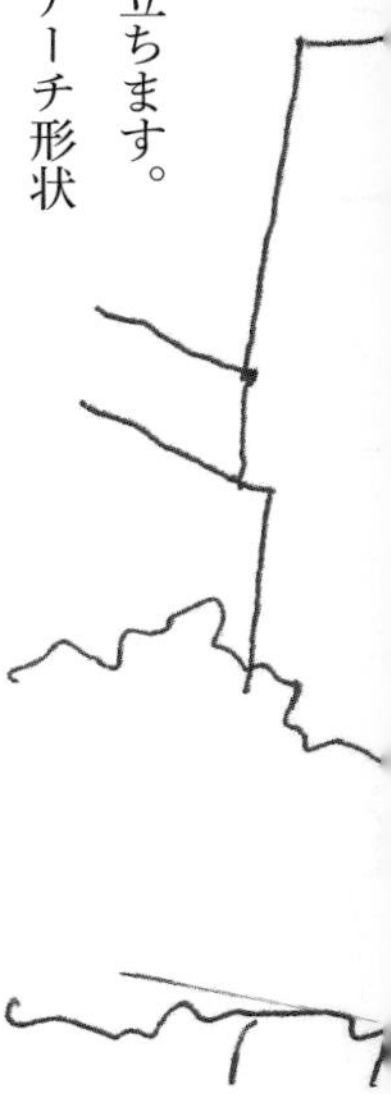

絵B
数寄屋橋公園からみた、校舎の一部

校庭側からのメインの校舎外観は現在ではツタが覆っており、それはそれで緑に包まれた校舎としてはとても魅力的ですが、意匠面での特徴がわかりにくくなっています。そのため、東側からみた外観を絵にしました。
なお、現在は首都高速道路が校舎の北側に沿って通っていますが、高速道路ができる以前は、運河でしたから、校舎の外観も今と当初とではみえる範囲や見え方が相当違っています。あわせて、描いた絵では、校舎の意匠の特徴を理解しやすいように樹木や柵、工作物などを省いている箇所があります。

わしいお洒落な通りになっています。その通りの途中に、校庭に直接入れる門が設けられています（絵C）。名前はフランス門。19世紀後期（明治時代）の南フランスの貴族館で使用されていたという門扉が運ばれてきたとのこと。渦巻き模様も実に美しいですし、門柱に取り付けられた照明器具もおしゃれですね。

歴史と建物との関係

現在の泰明小学校はいわゆる「復興小学校」の一つで、今日まで現役で役割を果たしている小学校です。１９２９年に竣工して現在まで実に90年以上の年月が経過しましたが、復興小学校が３代目にあたります。ちなみに初代の泰明小学校はレンガ造りでした。

第二次大戦の末期、１９４５年5月の銀座大空襲では泰明小学校も空襲で被害を受けています。90年の間、何もなく来たわけではありません。現在、私たちがみる校舎は、戦後に建て直されたものかとも思いがちですが、正確にいえば、躯体はそのまま使えると判断され、内外装や設備などの復旧工事を行い、ほぼ当初の復興小学校の姿が再現さ

絵C　フランス門

門の背後にみえる校庭や校舎の外観の風景は省いています

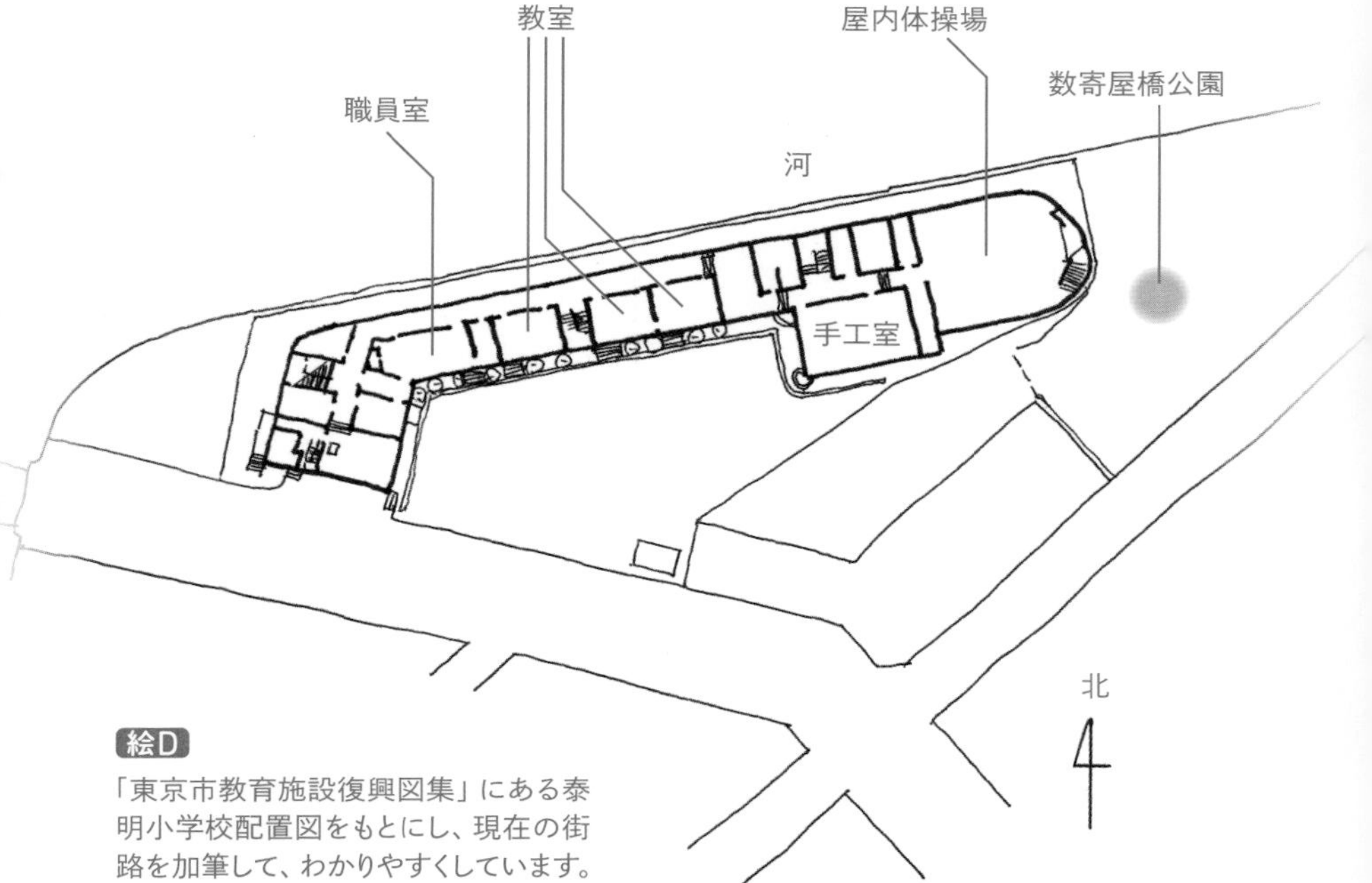

絵D
「東京市教育施設復興図集」にある泰明小学校配置図をもとにし、現在の街路を加筆して、わかりやすくしています。「河」とある場所は、現在は東京高速道路が通っており、商業施設「銀座ファイブ」が高架下で営業しています。

れたのです。
　建物の骨格がしっかりしていたことが幸いしたのですが、関東大震災が発生したころ、小学校の校舎の壁は15㎝程度が一般でした。大地震を経験したあとだったせいもあるでしょう。復興小学校の建設にあたって、東京市は壁厚を22㎝にする方針のもとで当時の最先端工法である鉄筋コンクリート造で建設したのです。確かに、現代の構造指針からみても、22㎝の壁厚は心強いです。空襲による被害などを乗り越えて、現在の校舎が、躯体をそのまま生かす形で再生されたのはラッキーでした。なお、設計者は東京市土木局建築課、とされています。

天安本店　20

所在地：東京都中央区佃1-3-14
最寄駅：東京メトロ／都営地下鉄「月島」
創業：1837年

かわいい外観に、内容がぎっしり

建物の存在感は、規模の大小ではないことを、この天安本店は示してくれています。絵Aは正面からみたものです。いくぶん誇張して表現していますが、江戸時代から続く、商家の店構えをよく伝えています。

1階屋根に、一枚板で佃煮元祖の看板が堂々と置かれています。佃煮天安は、創業が1837年（天保8年）という老舗です。店の間口は2間《けん》。メートル表示だと約3・6mです。その外観の中に、日よけや風対策を兼ねた暖簾《のれん》、置き看板などの、今風にいえばディスプレイが目に飛び込んできます。

各種ディスプレイ、看板

もっとも目立つのは藍色の生地の「風呂敷暖簾」です。看板の役割ももちろんありますが、日よけ対策が大きいです。海風もあり、風や埃対策も兼ねています。歩道には、この暖簾の下端をしっかり固定する工夫がされています。営業時間前などに訪れると、この暖簾は掛けてありませんから、木造の基本構造や引き違い戸、敷居などがそのままよくわかります。お店では、風呂敷暖簾の幅が半分ほどの、コンパクトタイプの暖簾も用意して、使い分けています。

この風呂敷暖簾とは異なり、終日、掛かっているのが「水引き暖簾」です。また、右側にある置き看板も注目しましょう。間口がもっと狭い店舗では、場所をとりますから、置き看板はなかったと思いますが、ここでは見ることができます。そのほか、左側、柱に「軒看板」があります。

軒先や雨どい、建築の細部

このお店に限らず、商家の店構えでは、出桁《だしげた》造りが特徴です。文字通り、桁が店先のほうに出ていることからきています。出梁と出桁の関係が重要で、このお店のケースでは、軒の出の方向に5本、梁

絵A

が出ています。これは1階、2階の軒下に共通です。梁先が白く塗られていますから、わかりやすいですね。この梁に載るかたちで、1本の桁が通ります。絵Bを参照してください。

出桁造りは、江戸時代の商家、とくに米屋や酒屋などでは多くみられました。現代の東京では、みかける機会は少ないですが、たとえば蔵で有名な、「小江戸」とも呼ばれる川越の商家の街並みでは数多くみることができます。

もうひとつ、雨どいについても、職人技が冴えます。金属の中でも銅は加工性に優れているため、複雑な曲げ加工などが要求される「とい」に使われてきました。銅は経

絵B

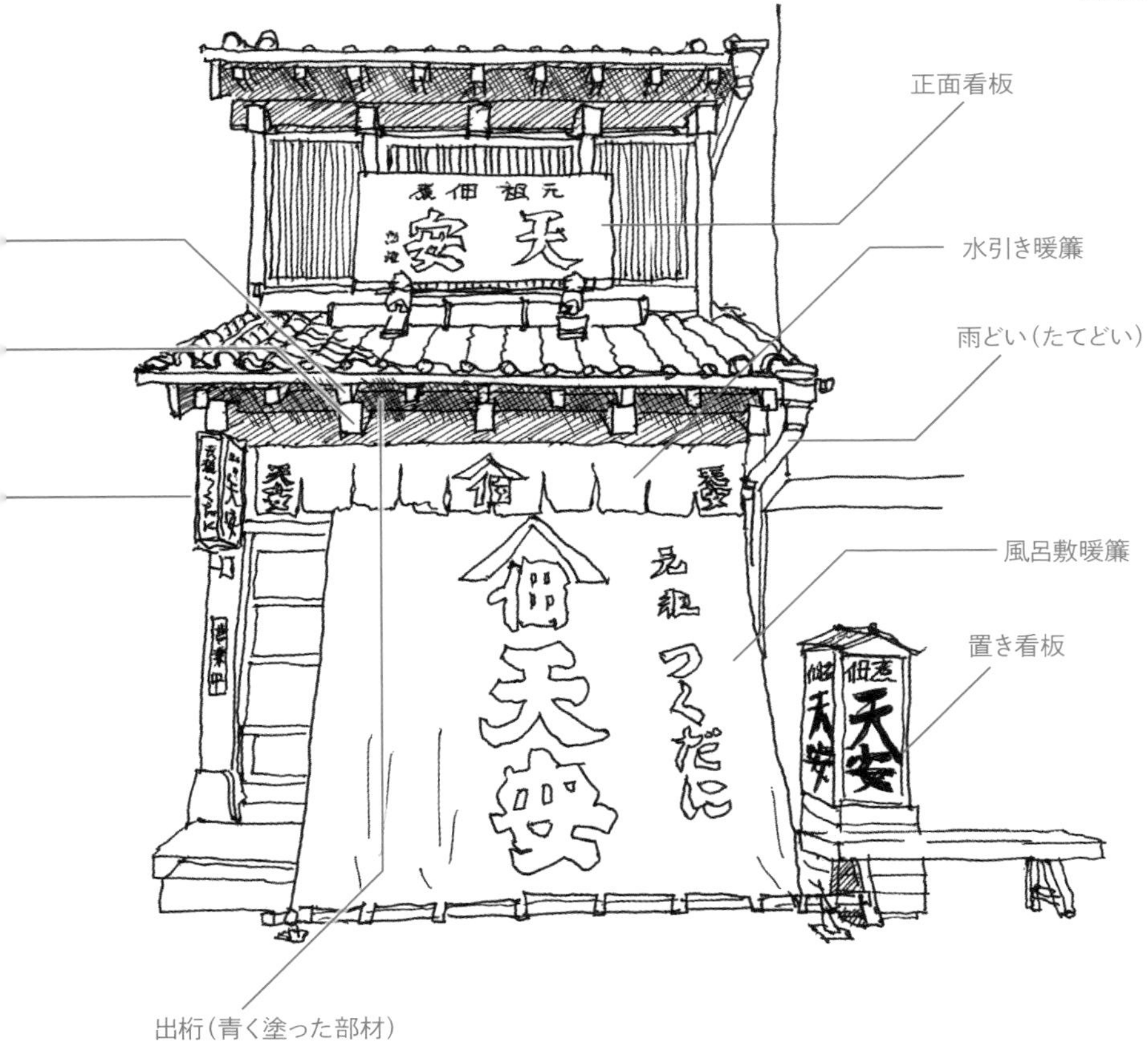

正面看板
水引き暖簾
雨どい（たてどい）
風呂敷暖簾
置き看板
出桁（青く塗った部材）

年変化で緑青により、緑っぽくなりますが、特に「横どい」から「たてどい」に流す部分などは見ごたえがあります。

建物などの物的な要素に光をあてて解説してきましたが、天安本店では、いまでもお店の人が江戸時代から続く、座ってお客さんに対応する方法が踏襲されています。すばらしいことです。そのような点も見逃さず、気に入った佃煮を買われてはいかがしょう。

江戸時代から続く歴史の積み重ね

佃島の場所は、もともと隅田川の河口に、土砂が岸へ吹き寄せられて自然にできた洲です。江戸時代の初期、徳川家康が、今の大阪市西淀川区の漁師たちを江戸に招きました。彼らが埋め立てをしたりして築いたのが佃島です。１６４５年（正保2年）には「佃の渡し」が始まります。佃島にある住吉神社への参詣などに利用されました。この渡しは、明治以降も多くの人々に利用され、１９２６年（大正15年）には、運営は東京市に引き継がれ、その後、佃島渡船となります。戦後の１９５６年（昭和31年）には一日平均60往復、1万６０００人もの利用者があったとされますが、佃大橋が完成した１９６４年（昭和39年）に、その役割を終えたのです。

天安本店は、佃島渡船の発着所の近くにあったことも付け加えておきましょう。また、天安本店の所在地から、西に隅田川を超えて５００ｍほど行けば、本書でもとりあげている聖路加国際病院の聖ルカ礼拝堂です。さらに西に約３００ｍ行けば築地本願寺、というように、中央区のこの埋め立て地一帯は江戸時代から現代まで、さまざまな歴史の積み重ねが顕著です。

垂木《たるき》

出梁《だしばり》
（腕木ともいう）

軒看板

浅草文化観光センター | 21

所在地：東京都台東区雷門2-18-9
最寄駅：東武／東京メトロ／都営地下鉄「浅草」
設計者：隈研吾
竣工：2012年4月

絵A

建物の立地特性

江戸風情が感じられるエリアといえば、浅草寺や２５０ｍにわたって続く仲見世通りなど、下町を代表する浅草エリアが真っ先に思い浮かびます。その浅草のランドマークともいえるのが雷門です。ランドマークといいましたが、高さのある建造物の意味ではなく、長さが３・９ｍもある大提灯の存在を、ここではランドマークと表現しました。「雷門交差点」のちょうど斜め向かいに建つのが、浅草文化観光センターです。この建物の前のバス停の名称も「浅草雷門」です。東京観光の定番のスタート地点ともいえます。

観光情報の発信

２０１２年（平成24年）に完成した浅草文化観光センターは、正式名称を東京都台東区立浅草文化観光センターといい、台東区が観光情報の発信などの拠点施設として建設したものです。それまで、交差点の角地には銀行のビルがありました。台東区が買い取って、そのビルで浅草文化観光センターを開いてきたのですが、老朽化などを理由に新しく建物を建設することにしたわけです。台東区はコンペティションで設計者を選ぶ方式を採用し、隈研吾（１９５４－）の案

が選ばれました。

縦ルーバーが醸し出す「和」の外観

絵Aは、吾妻橋交差点のほうから西方向に見た街並みと浅草文化観光センターです。交差点の角地に建つゆえ、よく目立ちます。外観は杉の不燃材製のルーバーが縦方向に取り付けられています。ルーバーとは羽板を枠に対して隙間をあけて水平に並べたものです。縦ルーバーは縦格子を連想させ、「和」の外観を印象づけます。

隈研吾は作品集の中で、「向かい側の浅草寺の仲見世は、江戸時代の東京の木造平屋建築が連なるヒューマンな街並みを現代に伝えて

絵B

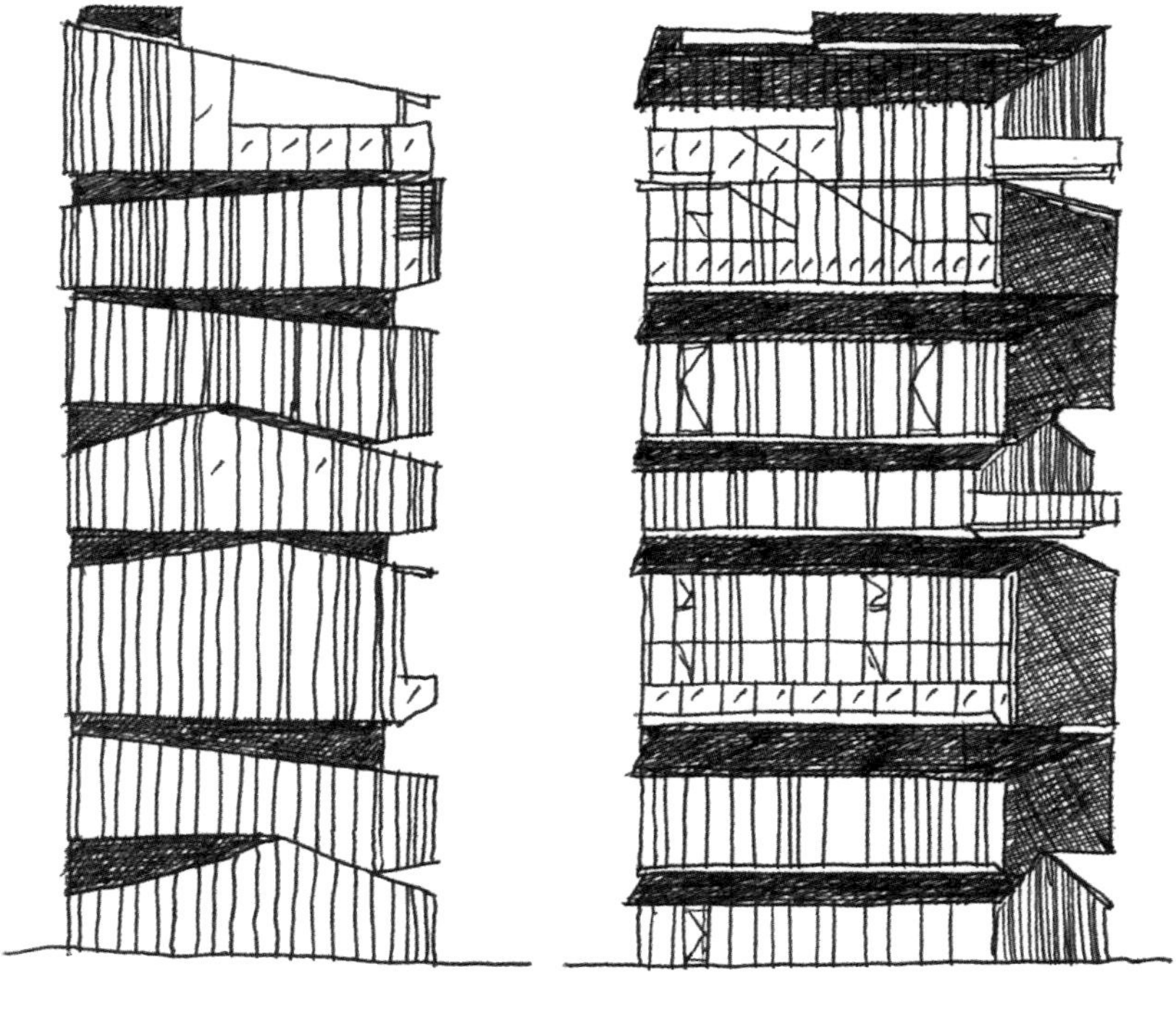

東立面　北立面

いる。この仲見世に代表される木造平屋建築の魅力を、高さ38mの中層建築の中で再生しようと考えた」と述べています。

　絵Bは、建物立面図から、南、東、北のそれぞれの外観を描き出してみました。前述の説明を聞いてから立面を眺めると、確かに木造の平屋の家屋らしきカタチが積層した外観に見えます。東側の外観はそうですね。また、最上階の8階は無料の展望テラスになっていて、見下ろすと、仲見世の賑わいの様子が手に取るようにわかります。浅草寺の境内の主要な建物配置も理解しやすいですし、反対方向の、隅田川を挟んだ対岸の光景もまたスカイツリーをはじめとする建物群が並び建っていて壮観です。立地特性が十分に反映された展望テラスです。

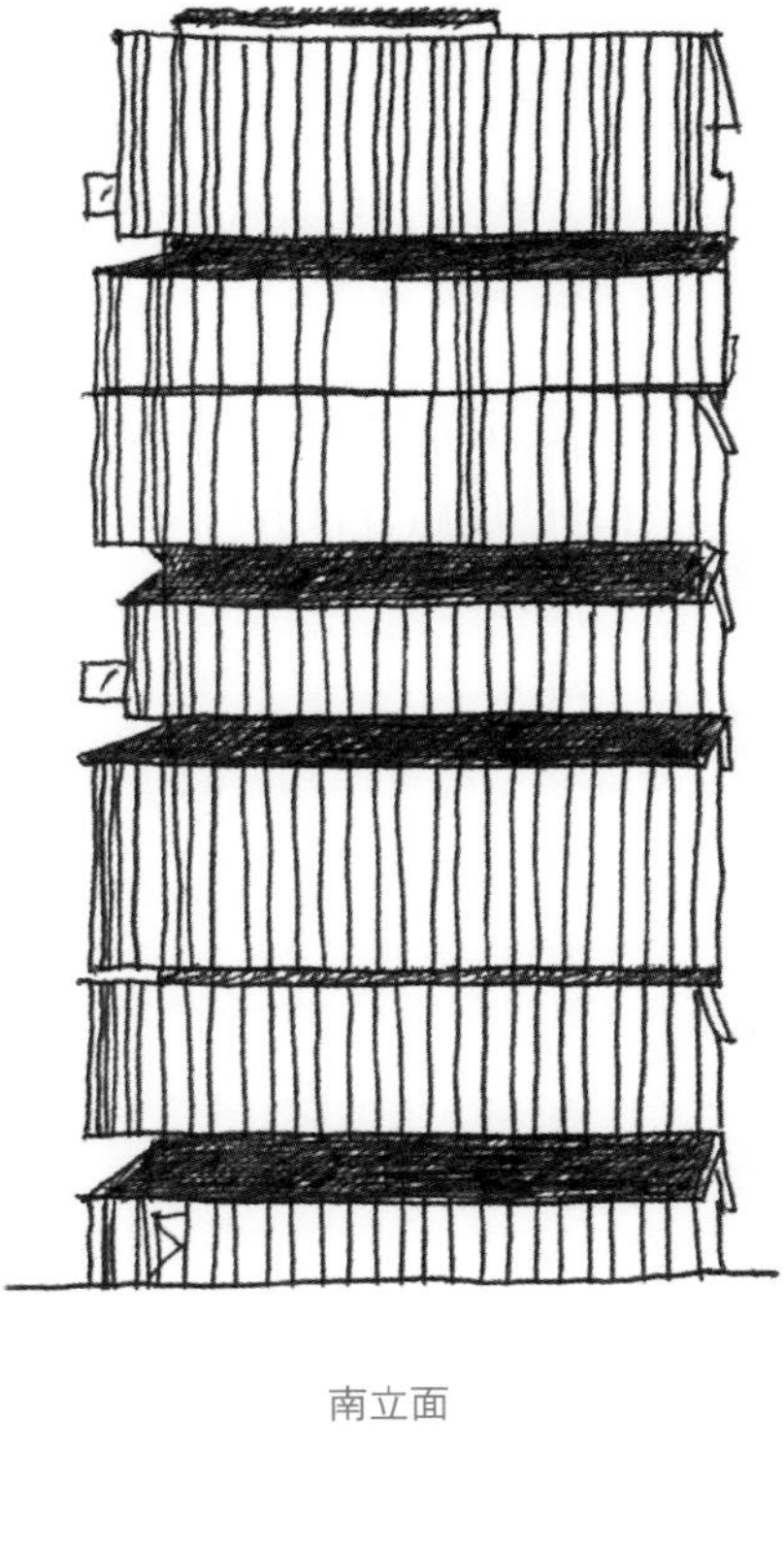
南立面

足し算のデザイン、引き算のデザイン

　出来上がった建築をこの目で確かめるために私は、銀座線経由で浅草駅を降り、雷門通りを西に進むと、さきほどの絵Aのような景観が見えてきました。絵の右側には、雷門があります。

　立面のイメージと立体としてのカタチとはやはり違うことはあります。杉の縦ルーバーで外壁がぐるりと囲まれていたせいもあります。四角い同一の材質の立体から、切込みを何回か入れて、いわば削り出した立体に見えるのです。

立体物のデザインでは、よく言われることですが2つのアプローチがあります。一つは、基本となるユニットをデザインし、それを足していくことでイメージする複合立体を生み出すやりかたです。同じ方向に足す場合には、積み重ねる立体が得られます。いわば、足し算のデザインです。

もう一つは、それとは逆に、規則的でシンプルな立体、たとえば直方体などを最初にイメージし、それから部分を削りだすやり方です。引き算のデザインとでもいいましょうか。

隈研吾は、木造平屋建築の魅力を中層建築の中で再生しようと意図しています。積層する手法は、まさに足し算のデザインです。ただ、私には、実際の建築を見た素朴な印象として、引き算のデザインに思えたのです。おそらく、伝統的な木造家屋では、軒先の長い屋根と、その下の空間である縁側などの屋外空間が、日本建築の特徴なのです。このケースのように、立体形状を見上げる構図となります。日本の伝統的な木造家屋を積み重ねるならば、深い軒の出の重なりが最大のポイントになってきます。そう考えると、むしろ、シンプルな直方体から、幾筋かの、部分切り取りによる陰影を備えた、特徴的な外観と見たほうが自然なのです。

新宿の安与ビルから受けた衝撃

ルーバーの効果的な活用については、浅草のイメージに照らしてもよく理解できます。現地で建物を見て、思わず新宿に建っている ある建物を思い出しました。絵C がそれです。新宿駅東口で、駅前広場の南側に建って、異彩を放っています。

個人的なことで恐縮ですが、上京したてのころ(昭和40年代)、新宿駅に降り立って、この建物を見て、その異色ぶりに非常に興奮しました。それまで見たことがなかった外観だったからです。縦ルーバーを使いながらも、縦方向に、まさに積層するという設計者の発想は、和風のコンセプトでいながら、ありそうで思いつかないのではないか。日本人らしくない、と感じました。大学の図書館で調べてみると、明石信道《あかししんどう》（1901―1986）の設計の安与ビル（1968年竣工）とわかりました。

　浅草文化観光センターと安与ビルに共通する点は、縦ルーバーの、いかにも和風という要素を前面に出しつつも、それを重ねるという発想です。浅草文化観光センターで、縦ルーバーのピッチ（間隔）を、階ごとに絶妙に変化させていますが、巧みですね。うまく表現しにくいのですが、きわめて日本的な要素を導入しながら、根本でもっ

絵C

と普遍的な発想でデザインするアプローチ。それが隈研吾の設計スタイルの一つかもしれません。

特別な都市景観の中、建物の高さについて

　この建物の高さは38・9mです。階数だけだと8階建てです。マンションのように集合住宅ならば、同じ8階建てでも、高さは25mほどの事例も数多くあります。多目的の、どちらかといえば商業ビルに近い建物用途ですから、8階建てになれば必然的に高さは40m近くになります。

　気になるのは、立地する場所の特殊性です。雷門から目と鼻の先にあり、浅草寺の境内の景観との関係に注視すべきでしょう。

　手がかりになる、高さの尺度として私は仲見世通りの先に姿をみせる本堂の高さを挙げたいと思います。本堂は、入母屋造りで、本瓦葺きの堂々たる建築ですが、その高さは29・4m（正面の幅は34・5m）です。理想をいえば、本堂よりも高い建物は、歴史的な市街地景観の一体性を保つエリア内では避けたいところです。とするならば、高さの上限は30mあたりになりますが、いかがでしょう。

　台東区が作成したコンペティションの応募要項などを改めてチェックしてみましたら、さほど広くない敷地に、さまざまな用途の諸室を盛り込む条件になっていました。下町という場所柄、水害対策からも地下室を大々的に確保することは好ましくありませんから、要求された床面積などを確保すると、建物高さは40mあるいはそれ以上の高さになりますね。建物の高さについては、区のそうした判断が最初から反映されていました。

　今後、別の建築物のコンペティションなどが行われる場合には、建物の高さについて、とくに下町らしさを色濃く残す、代表的なエリアであれば、重要要件として盛り込まれることを望みたいです。たとえば、30mを高さの上限とし、特殊なケースでも35m以下とする、という風に。

あとがき

本書で取りあげた東京の建築作品は、明治以前に由来する建物2点を別にすれば、明治維新以降、現代に至る一世紀半の間に建設されたものです。建物数こそ多くはありませんが、時代の潮流を体現した作品ばかりです。また、東京という限られたエリアの建築ではありますが、わが国の激動の歴史を凝縮して体現していると思えます。

初期から中期までの明治期における我が国の建築は、西洋諸国の進んだ文明や文化を必死に吸収した軌跡そのものです。明治後期になり、迎賓館赤坂離宮がそうであるように、一通り、西洋の様式建築を習得し卒業設計の域に達します。折から、大正から昭和初期にかけては、アールデコなどの運動を経て、モダニズム建築が登場します。その間に、関東大震災（1923年）も発生し、構造重視の動きや、復興建築に鉄筋コンクリート造という新しい構法が大々的に採用されます。一方で、歴史主義に基づく重厚な建築も多く建てられました。

このような一連の流れは、その建築の発注者が誰であるのかに留意しながら眺めると、見えてくることがあります。明治期には、銀行や駅舎などに対して、国家の威信をかけた様式美が求められました。次第に民間の重要な施設に建築家が参加し、百貨店などの商業施設やホテルなどで個性的な建築を生み出していきました。

第二次世界大戦後、敗戦から立ち直った日本はモダニズム全盛となり、高度成長の経済発展と符合するように装飾を排除した大規模建築が謳歌します。バブル景気という空前絶後の好景気を反映して、１９９０年前後の数年間、海外の著名な建築家による、国内での建築作品が生まれた時期があったことも特筆すべきでしょう。

成熟社会へと変質する中で、建築もポストモダンなど、異なる価値観をもった動きが台頭し、今日に至ります。その過程で、西洋建築のムーブメントとは別の、わが国固有の伝統的な建築様式をどのように、それぞれの時代に即応して取り入れるかも模索されてきました。

時代の流れと建築作品との関係や建築家と施主との関係なども念頭におきつつ、見学できる範囲で、実際の建物をぜひご覧いただきたいと思います。

２０２１年8月　著者

絵になる 東京の建築

2021年11月3日　第1刷発行

著者——————山田雅夫《やまだまさお》
組版デザイン———渡部岳大（株式会社ウエル・プランニング）
編集発行人———シミズヒトシ
発行所——————株式会社ハモニカブックス
〒169-0075　東京都新宿区高田馬場2-11-3-201
Tel　03-6273-8399
Fax　03-5291-7760
Mail　hamonicahamonica@gmail.com
印刷——————アポロ印刷株式会社
製本——————有限会社中澤製本所